JN151306

ゾルゲ事件史料集成

第5巻

加藤 哲郎 編集・解説／編集復刻版

太田耐造関係文書●「ゾルゲ事件」史料2

不二出版

凡　例

一、『ゾルゲ事件史料集成　太田耐造関係文書』は、太田耐造（一九〇三－五六）が保管し、国立国会図書館憲政資料室に寄贈された「太田耐造関係文書」のうち、ゾルゲ事件に関係する史料を編集し、全4回配本・全10巻として復刻、刊行するものである。

一、本集成は、ゾルゲ事件に直接関係する史料を「ゾルゲ事件」史料1・2、間接的ではあるが重要と判断された史料を「ゾルゲ事件」周辺史料として新たに分類・収録した。

全体の構成は次の通り。

第1回配本……「ゾルゲ事件」史料1（第1・2巻）／第2回配本……「ゾルゲ事件」史料2（第3～5巻）

第3回配本……「ゾルゲ事件」史料2（第6～8巻）／第4回配本……「ゾルゲ事件」周辺史料（第9・10巻）

一、史料は憲政資料室「太田耐造関係文書」記載の請求記号に依拠し、収録した。史料詳細は第1巻「収録史料一覧」に記載した。

一、原史料を忠実に復刻することに努め、紙幅の関係上、適宜拡大・縮小した。印刷不鮮明な箇所、伏字、書込み、原紙欠け等は原則としてそのままとした。欄外記載、付箋等がある場合、重複して収録した箇所もある。

一、編者・加藤哲郎による、ゾルゲ事件研究における本史料の意義と役割に関する解説を第1巻に収録した。

一、今日の視点から人権上、不適切な表現がある場合も、歴史的史料としての性格上、底本通りとした。

一、本集成刊行にあたっては、国立国会図書館憲政資料室にご協力いただきました。記して感謝申し上げます。

目次

※［177―8］は調書ごとに番号（＊1～）を附した。

ゾルゲ事件史料集成　太田耐造関係文書　第5巻

検事訊問調書（三月五日）

被疑者　尾崎秀實

二、問　學歴ハ

答　私ハ臺北中學校第一部ヲ卒業シ大正八年九月第一高等學校文科乙類ニ入學シ大正十一年卒業ト同時ニ東京帝國大學法學部ニ入學シ大正十四年三月卒業トナリマシタガ尚一ケ年間大學院ニ在籍シマシタ

三、問　職業經歴ハ

答　私ハ大正十五年五月東京朝日新聞社ニ入社シ社會部ノ記者學藝部ノ記者ヲ順次勤メ昭和二年十一月大阪朝日新聞社ニ轉勤シ支那部ノ記者トシテ勤務シ昭和三年十一月末頃上海支局詰ヲ命セラレテ上海ニ渡リ特派記者トシテ三年間餘勤

メ昭和七年二月社命ニ依リ大阪ノ本社ニ戻リ外報部勤務トナリ更ニ昭和九年十月東京朝日新聞社ニ轉勤ヲ命セラレ同社ノ東亞問題調査會ニ勤メ昭和十三年七月内閣囑託トナル爲メ同社ヲ辭職シマシタ

内閣囑託ハ昭和十三年七月八日辭令ヲ交付サレ所謂第一次近衞内閣ノ總辭職シタ昭和十四年一月迄其ノ地位ニ在リマシタ辭職ノ際ノ辭令ハ昭和十四年一月九日附ヲ以テ發令ニナツテ居ルト思ヒマス

其ノ後同年六月一日滿鐵ノ囑託トナリ同社東京支社ニ勤務シ檢擧ノ時ニ及ンダノテアリマスカ昨年十月末頃囑託ニナリマシタ滿鐵ニ於ケル給料ハ月五百圓テ賞與ハ半期一千圓ノ約束テアリマシタ尚私ハ多年ニ亘リ支那問題ノ研究ニ沒頭シ世間ヨリ支那關係ノ專門家トシテ評價セラレヿ嵐ニ立ツ

支那」其ノ他ノ著書ヲ出シテヰル外雜誌新聞等ニモ寄稿シ評論家トシテモ世間ニ知ラレテ居リマス

問　被質者ノ思想推移過程ニ付キ述ヘヨ

答　私ハ中學校ヲ卒業スル迄ノ幼少年時代ヲ臺灣テ送リマシタカ其ノ關係テ征服者タル内地人ト被征服者タル臺灣本島人トノ間ニ極メテ嚴メナ差別ノ存在スルコトニ少カラス人道主義的ナ義憤ヲ抱キ弱小民族タル本島人ニ對シ同情的テ當タト共ニ支那問題ニ付キ強イ關心ヲ植付ケラレマシタ中學ヲ卒ヘ高等學校ニ入學シタ頃ハ世界的ニデモクラシーノ風潮ノ強イ時テアリ私モ雜誌「改造」「解放」等ニ掲載サレタ吉野作造氏ノ論文ヤ其ノ他ノ人々ノ雜多ナ議論ヲ讀ミ少カラス心ヲ惹カレ興味ヲ感シタモノテシタヽ併シ乍ラ高等學校時代ハ寧ロ西南獨逸學派ノ哲學的思想ニ興味ヲ持チウ

インデルバンド、リツケルト等ノ歸説者左右田喜一郎ノ諸著作等ヲ讀ミ思想的ニハ人道主義的自由主義的傾向ヲ持ツテ居タノデアリマス

大正十二年夏第一次日本共産黨事件ノ檢擧ノアツタ當時私ハ既ニ大學ニ進ンデ居リマシタカ其ノ頃早稲田ニ住ンデ居タ關係ヲ同事件ニ依リ檢擧サレタ早稲田大學教授佐野學、猪俣津南雄等ノ樣子ヲ聞ク機會モ多ク從ツテ此ノ事件ニ關シ無關心テハ居ラレナカツタノデアリマス關東大震災直後夜中私ノ住ンデヰタ隣家ノ「農民運動社」ノ檢擧事件カアリ其ノ責任者渡邊護吉及同人ノ妻子等ノ引致サレテ行ク際ノ有樣ヲ目撃シ少カラス社會的義憤トデモ言フヘキ感情ニ掻キ立テラレ又大杉榮ト其ノ妻子カ殺害サレタ事件等カラモ強イ衝撃ヲ受ケ之等カ私ノ社會問題ヘノ關心ヲ強メル原

因トナリマシタ、

私ハ大正十三年頃ハ高等文官試驗ヲ受ケテ官吏ニナル考ヲ勉強シテ居リマシタカ同年夏失戀ノ痛手ヲ受ケ學業モ抛棄シ一時落膽ノ鄕里ニ歸リマシタカベルンシュタイン著「フエルデナンド・ラツサーレ」ナル傳記ヲ讀ミ彼ノ多感ナ生涯ニ心ヲ打タレ之ニ依リ眼ヲ個人的ナ點ヨリ社會的ナモノニ轉スヘシト心ニ斷シ茲ニ心機ヲ一轉シテ卒業試驗ヲ受クル爲上京シタノテアリマス

其ノ時大學内ニ新人會ノ大講演會カ開催サレ此ノ講演會ハ新人會カ方向轉換ヲ企ツタ劃期的ナモノテアツテ私モ之ヲ聽講シマシタカ

麻生久

石濱知行

森戸辰男

カ餘轉ヲ撥ヒ其ノ内デモ森戸氏ノ「思想ト闘爭」ナル講演ニハ非常ニ心ヲ打タレ新シイ思想ヲ開拓スル事ニ英雄主義的ナ歸嚮ヲ齎シマシタ

斯樣ナ心境ニナリツヽアツタノデ大學卒業當時一ヽ二就職口ハアリマシタカ就職スル氣ニモナレス其ノ儘大學院ニ居殘ツテ社會科學ノ研究ヲシヨウト決心シマシタ大學院ノ一年間ニ於テ經濟學部助教授大森義太郎ヲ指導者トスル學内ノブハーリン著「史的唯物論」研究會ニ參加シ又自ラ種々ナル左翼文獻ヲ讀ミ共產主義ノ研究ニ沒頭シマシタ其ノ間ニ讀ンダ左翼文獻ハ非常ニ多ク之ヲ大別スレハ共產主義ノ解說書トモ云フヘキモノト支那革命ニ關スルモノトカ主ナルモノデ只今記憶ニアルモノハ

例ヘハ

共産主義ノ理論及解説書トシテハ

マルクス著

「資　本　論」

（但シ第一、二巻）

レーニン著

「帝國主義論」

「國家ト革命」

「經驗批判論」

「左翼小兒病」

「宗教ニ付テ」

スターリン著

「帝國主義ノ諸問題」

其ノ他

支那問題ニ付テハ

ウヰツトホーゲル著　「目覺メツヽアル支那」

レーニン著　「支那問題ニ付テ」

ヲ始メブハーリン、スターリン、ラデツク等ノ著書テアリマス

尚雜誌類トシテハ「カーイー」「インプレコール」等ヲモ讀ミ又當時出版サレテヰタ日本ノ左翼文獻モ殆ニ渉獵シマシタ

斯様ナ經過ヲ辿ツテ私ノ思想ハ人道主義的ナモノカラ共産主義的ナモノニ轉シ大正十四年頃ニハ共産主義ヲ信奉スル

日本標準規格B4號

ニ至ツタノデアリマス
其ノ後私ハ東京朝日新聞社ニ入社シマシタカ入社間モナク
イ頃當時報知新聞社ノ記者デアツタ
細家敏住
ト朝日新聞社内デ屢々スターリン著「レーニン主義ノ諸問
題」ヲテキストトスル研究會ヲ行ヒ又其ノ頃濟家ノ勸誘デ草
野源吉ノ變名デ日本勞働組合評議會關東出版勞働組合ニ加
入シ同組合ノ新聞雜誌記者ノグループノ會合ニ二、三回出
席シタコトモアリマシタ
大阪朝日新聞社ニ轉シテカラ高等學校時代ノ知人
冬野猛夫
ト舊交ヲ溫メル機會ヲ得同人ト屢々會合シ社會問題ヲ論
シタリシマシタ其ノ頃冬野カラ出版計畫中ノマルクス、エ

ンゲルス全集ノ翻譯ニ協力ヲ求メラレタリ又黨活動ニ參加ヲ慫慂セラレマシタカ間モ無ク各野ハ檢擧サレ私モ昭和三年秋ニハ社命ニ依リ上海支局詰トナツタノテ各野トノ關係ハ夫レ以上發展ヲ見スシテ終リマシタ上海ハ當時所謂支那國民革命ノ直後テアリ南京ニハ國民政府カ樹立サレテ居リマシタカ上海ニハ此ノ革命ノ餘波カ高ク共產主義的潮流カ横溢シテ居リ私ハ斯樣ナ雰圍氣ノ裡ニアツテ支那問題ヲ中心ニ各種ノ左翼文獻ヲ繙讀シ益々共產主義ニ對スル信念ヲ強メルト共ニ支那ヲ繞ル列強ノ帝國主義侵略ノ現實ヲマザ〳〵見セ付ケラレ殊ニ上海ニ於ケル「創造社」ノグループニ關係シタノヲ始メトシテ東亞同文書院ノ左翼學生グループト關係ヲ持チ又其ノ關係カラ中國共產黨ノ下部組織トノ連絡更ニ其ノ上部組織トモ關聯ヲ持ツヤウニナリ次テアグ

ネス、スメドレート相識ルニ及ンデ國際的ナ繋トモ關係ヲ生シ、團體コミンテルンノ爲ニ諜報活動ニ從事シ今回ノ檢擧ニ及ンダ次第デアリマス

問　被疑者ハコミンテルン竝ニ日本共産黨ニ對スル認識ニ付キ司法警察官ニ對シ斯樣ニ供述シテ居ルガ夫レニ相違ナイカ

此ノ時檢事ハ司法警察官警部高橋與助ノ作成ニ係ル被疑者尾崎秀實ニ對スル第九回訊問調書第一問答ヲ讀聞クタリ

答　私ノコミンテルン竝ニ日本共産黨ニ對スル認識ハ只今御讀聞ケノ通リニ相違アリマセヌコミンテルン即チ國際共産黨ハロシア革命ノ成功ニ伴ヒ誕生シタモノテロシアニ於ケル一九一七年ノ三月及十月ノ兩革命ヲ期トシロシア共産黨カ政權ヲ獲得スルニ及ンデ革命ノ指導者タルレーニンハ第二インターナショナルトハ全ク別個ニ世界各國ノ共産主義

者ノ參加ヲ得テ一九一九年三月モスコーニ於テ第三インターナショナルヲ結成シタノテアツテ之カ現在ノコミンテルンテアリ其ノ本部ヲモスコーニ置キ各國ノ共產黨ヲ支部トシテ傘下ニ收メテ居リマスコミンテルンハ世界革命ヲ遂行シテ世界共產主義社會ノ實現ヲ目的トスル共產主義者ノ國際的組織テアリマス

即チコミンテルンハ世界各國ノ無產階級運動ノ指導部參謀本部トシテ多數ノ勞働者農民ヲ糾合シ革命手段ニ依リ資本主義社會機構ヲ打倒シ世界各國ニプロレタリアートノ獨裁政權ヲ樹立シ全世界ノプロレタリア獨裁國家ノ結合ヲ創設シ階級ヲ徹底的ニ打破シ以テ共產主義社會ノ第一段階テアル社會主義社會ノ實現セシコトヲ目的トシタ國際的結社テアリマスコミンテルンハ此ノ目的實現ノ爲革命ノ戰略戰術

ヲ規定シ常ニ其ノ支部タル各國共產黨ヲ指揮統制シテ居ル
ノデアリマシテ我ニ其ノ日本支部タル日本共產黨ニ對シテ
モ昭和二年ノ所謂二七年「テーゼ」昭和七年ノ所謂三二年
「テーゼ」等其ノ他ヲ以テ日本ニ到來スベキ革命ノ性質ヲ
規定シ日本ニ來ルベキ革命ハブルヂョア民主々義革命ヲ其
ノ革命ハ急速ニプロレタリア革命ニ轉化スルモノトシ或ハ
革命ノ性質ハ急速ニプロレタリア革命ニ成長スルブルヂョ
ア民主々義革命ナリトシテ　天皇制ノ打倒ヲ中心スローガ
ントスヘキコトヲ規定シテ居リマス
從テコミンテルンハ世界資本主義ノ一環トシテ我國ニ於テ
モ共產主義革命ヲ遂行シテ我國體ヲ變革シ私有財產制度ヲ
廢止シプロレタリア獨裁ヲ樹立シ此ノ過程ヲ通シテ我國ニ
共產主義社會ヲ實現セントスルモノデアル事ハ勿論デアリ

司法省

マス
日本共産黨ニ對スル認識ニ付テモ高橋警部ニ申述ヘタ通リデアリマシテコミンテルンノ日本支部タル日本共産黨ハ大正十一年佐野學、堺利彦、荒畑勝三等ニ依リ結成セラレマシタガ大正十二年夏所謂第一次日本共産黨事件トシテ檢擧セラレ次デ大正十五年十二月鍋本和夫、渡邊政之輔、三田村四郎等ニ依リ所謂第二次日本共産黨ノ組織ガ確立サレマシタガ之亦昭和三年所謂三、一五事件トシテ檢擧セラレ其ノ後度々再建ニ次グニ檢擧ガ繰返サレテ組織ヲ破壞サレ茲數年來ハ國内ニ於タル黨ノ活動ハ全ク無力無活動ノ狀況ニ在ルト考ヘラレマス日本共産黨ハコミンテルンノ支部トシテ其ノ指揮統制下ニコミンテルンノ目的トスル世界共産主義社會ノ實現ノ爲日本ニ於テ革命ヲ遂行シ我國体ヲ變革シ私有財產制度ヲ廢止シプロレタリア獨裁ヲ樹立シ此ノ過程ヲ通シテ階級ニ共產主義社會ヲ實現セントスル結社デアルコト勿論デアリマス

六、問　被疑者ハコミンテルン、ソ聯共産黨、ソ聯政府相互ノ聯關關係ニ付キ司法警察官ニ對シ斯樣ニ陳述シテヰルガ其ノ通リ相違ナイカ

此ノ時檢事ハ前揭第十回訊問調書中一問答ヲ讀聞ケタリ

答　私ハコミンテルン、ソ聯共産黨、ソ聯政府ノ相互關係ニ付テハ只今御讀ミノ通リ理解シテ居リマシタソ聯共産黨ハ理論的形式的ニハ言フ迄モ無クコミンテルン組織ノ一構成ニ過ギナイノデアリマスガ現實ニハレーニンニ率キラレテロシア革命ヲ遂行シ得タロシア共産黨以來ノ光輝アル歷史ヲ有スル黨デアリマシテコミンテルン加盟ノ各國共産黨中最大ノモノデアリ實質的ニハコミンテルンノ支柱ヲ爲シテ居ルバカリデナクソ聯政府トノ關係ニ於テハソ聯共産黨ハ事實上ソ聯政府ノ母体デアリ之ト表裏一体ノ關係ニ立ツテ居

ルノデアリマス又コミンテルントソ聯政府トノ關係ハソ聯共産黨ニ各々前述ノ如キ密接ナ關係ヲ有シテキルノデ之亦密接不可分デアリコミンテルン組織ハソ聯政府ノ存在ヲ離レテハ存在シ得ナイ現狀ニアリ此ノ關係ハ地理的ニモ人的構成ノ上ニモ將又財政的關係ノ上ニモ其ノ支柱タルソ聯共産黨ヲ通ジテソ聯政府ニ依據シタ組織デアルト考ヘラル丶ノデアリマス從テコミンテルンノ政策ハソ聯政府ノ國際的政策ニ強ク支配セラレテ居ルバカリデナク自主的ニモ其ノ世界革命完成ノ目的ノ爲ニ其ノ中心ヲ爲ス唯一ノ現有勢力タルソ聯國家ヲ守リ其ノ存在ヲ維持スル爲ノ政策ヲ採ラサルヲ得ナイ譯デアリマス

七問　客觀情勢竝ニ革命ノ展望ニ關スル認識ニ付キ述ベヨ

答　社會發展ノ必然的ナ過程ハ我々マルキストニ今ヤ世界資本

主義ノ崩壊ト之ガ次ノ社會的段階ヘノ移行ヲ益々確信セシメルニ至ツテ居ルノデアリマス少クトモ私ハ史的唯物論ノ上ニ私ノ世界観ヲ打樹テ、以來世界史ノ現實ハ刻々ニ以上ノ見解ノ正シサヲ實證シタモノト確信シテヰルノデアリマス以上ノ見解ヲ私ノ專門タル世界政治ノ最近ノ推移ノ現實ニ即シツ、述ベルコト、シマス

第一次歐洲大戰ハ世界資本主義內部ノ矛盾ノ端的ナ現ハレデアリマシタ資本主義ノ高度ノ發展ハ國內ニ於ケル獨占資本中心ノ社會体制ヲ完成セシメルト共ニ外ニ對シテハ市場獲得ノ要求ヲ高メ所謂帝國主義政策ノ採用ヲ不可避ナラシメルノデアリマス斯クテ國內ニ於テハ大衆ノ搾取ガ強化セラレ國外ニ於テハ植民地ヘノ壓迫ガ加ハリ且ツ帝國主義列強間ノ對立ガ激化スルコトハ必然ノ勢デアリマス

第一次歐洲大戰ハ以上ノ如キ理ニヨツテ戰ハレ其ノ結果ハ一應聯合國側ノ勝利ニヨル世界ノ富ト植民地ノ再分割ニヨツテ局ヲ結ンダノデアリマシタ併シ作ラ斯ク明カナル如ク此ノ結果ハ資本主義体制内部ノ矛盾ヲ増大シテモ決シテ其ノ矛盾ヲ根本的ニ解決除去スルモノデナイコトハ言フ迄モアリマセヌ吾々ハ大戰後ニ現ハレタ四ツノ顯著ナル事實ヲ特ニ指摘スルコトガ出來マス

第一ニハ再分割ニ成功シタ側即チ戰爭ニヨツテ獲物ヲ得タ側ガ一層資本主義体制ノ發展ヲ遂ゲ帝國主義政策ヲ一層推進セシメルコトヽナツタガ他方其ノ結果トシテ英米佛等相互間ノ對立ヲ激化セシメタコト

第二ニハ戰爭ニヨツテ獲物ヲ失ツタ國々即チ敗戰ノミナラズ戰勝側ニ在ツテモ相對的ニ失ツタ國例ヘバ日獨伊等ノ間

ニ正常ナ資本主義的發展ノ條件ガ抑止セラレタ爲メ資本主義ガ畸形歪曲セラレツヽ帝國主義的政策ガ採用推進セシメラレタコト

第三ニハ資本主義体制ソノモノヲ根本的ニ揚棄シタソ聯邦ノ出現シタコト

第四ニハ帝國主義諸國ノ異ナル抑壓搾取ノ對象タルニ過ギナカツタ植民地半植民地ノ間ニ民族主義的自覺ガ生起シ自己解放ノ要求ガ民族運動ノ形ヲ取ツテ來タコト

等デアリマス

第一次歐洲大戰カラ第二次歐洲大戰ヘノ中間ノ期間ハ世界資本主義体制ノ内部ニ新ナル要素ト條件トヲ加ヘタトハ言ヘ只管内部的矛盾ノ増大ニ拍車ヲ掛ケ來ツタ時期デアリマス之ガ破綻ハ既ニ稍々ニハ明瞭デアリマシタ特ニ一九二九

年カラ三〇年ヘカケテ世界經濟恐慌以後此ノ傾向ハ決定的トナリマシタ世界經濟機構ニハ構成的ナ變化ガ齎ラサレ各國ノ經濟政策ハ只管國民主義化シ各國ノ對立ノ激化ト共ニ軍備擴張ガ狂氣ノヤウニ進メラレマシタ此ノ歸結ハ明瞭デ帝國主義諸國ハ自己ノ生存ノタメニモ世界再分割ノタメノ戰爭ノ方途ニ出デザルヲ得ナカツタノデアリマス

ヨーロツパニ於テハ一九三一年乃至一九三二年頭ニハ獨逸ニ於テハナチスガ政權ヲ獲得スルニ至リ伊太利ハ一九三五年ニエチオピア侵略ヲ企テ一九三六年ニハ獨逸ノライン進駐ガアリ更ニメーメルノ併合一九三六年夏ニハスペイン革命ガ起リ獨伊對ソ聯ガ此處ニ相闘ヒ又英米佛等ノ金融資本ノ利害ガ之ニ微妙ニ入リ組ンダノデアリマス

東亞ニ於テモ日本ニヨル滿洲事變ガ一九三一年九月ニ起キ

起サレ引續キ北支問題ヲ中心トシテ日本ノ壓力ハ支那ニ及ビツヽアツタノデアリマス勿論英米佛等ノ帝國主義正統派ガ其ノ間種々抵抗防禦ノミニ終始シタノデハナク或ハ國内体制ノ整備ニヨリ或ハ又相互ノ聯盟ノ強化ニヨリ世界再分割戰ノ方向ニ一路邁進シ來ツタコトハ云フ迄モナイノデアリマス

私ハ以上ノ情勢ヲ詳ニ檢討シ來ツタ結果一九三七年（昭和十二年）七月七日北支事件起ルニ及ンデ支那問題ニ内包セラレタル複雜ニシテ[illegible]ナル關聯機ヨリ判斷シテ茲ニ第二次世界大戰ノ全面的展開ヲ見ルコトヲ必然ナリトシテ此ノ事ハ當時中央公論八月號所載ノ論文中ニモ之ヲ明ニシタトコロデアリマス

私ハ第二次世界戰爭ハ必ズヤ世界變革ニ到達スルモノト

償ズルノデアリマスガ第二次世界戰爭ガ何故帝國主義諸國間ノ世界再分割ニ又モ終ルコトナクシテ世界革命ニ轉ルデアラウカトノ見透シニ付テハ一應問題トスルニ足ルデアラウト思ヒマス私ハ此ノ第二次世界戰爭ノ過程ヲ通ジテ世界共產主義革命ガ完全ニ成就シナイ迄モ決定的ナ段階ニ進スルコトヲ確信スルモノデアリマス 其ノ理由ハ

第一ニ世界帝國主義相互間ノ鬪爭ハ結局相互ノ極端ナル破壞ヲ惹起シ彼等自体ノ私有社會經濟体制ヲ崩壞セシメルニ至ルデアラウト云フコトデアリマス帝國主義陣營ハ型通リ正統派帝國主義國家群トファッショ派帝國主義國家群トニ分裂シテキルノデアリマスガ此ノ場合戰爭ノ結果ハ兩者共倒レトナルカ又ハ一方カ他ヲ制壓スルカデアリ敗戰國家ニ於テハ第一次世界大戰ノ場合ト同樣プロレタリア革命ニ移

行スル可能性ガ最モ多ク又假令一方ガ勝[illegible]ツタ場合デモ内部的ナ疲弊ト敵對國ノ社會變革ノ影響トニ依ツテ社會革命勃發ノ可能性無シトシナイノデアリマス

第二ニハ共產主義國家タル強大ナルソ聯邦ノ存在シテヰル事實デアリマス私ハソ聯邦ハ歐米帝國主義諸國家間ノ戰爭ニ超然タルベキモノデアルト考ヘ其ノ意味ニ於テソ聯邦ノ平和政策ハ成功デアルト考ヘテヰタノデアリマス對ソ聯攻擊ノ危險性ノ最モ多イ日本及獨逸カ前者ハ日支戰爭ニヨリ後者ハ歐洲戰爭ニヨリ現實ノ攻擊可能性ヲ失ツタト見ラレタ時私ハ以上ノ見通ガ益々確實ナモノトナツタコトヲ感ジタノデアリマス

獨ソ戰ノ勃發ハ我々ノ立場カラハ極メテ遺憾ナコトデアリマスガ吾々ハソ聯ガ獨逸ニ對シテ終局ノ勝利ヲ得ベキコト

ヲ依然保持シテ居リ其ノ結果獨逸ガ徹モ遂ニ内部的變革ノ影響ヲ被ルベキコトヲ確カニ豫想シテヰルノデアリマス

第三ニハ植民地半植民地ガ此ノ戰爭ノ結果ヲ利シテ自己解放ヲ遂ゲ其ノ間ニ或ル民族ニ於テハ共産主義的方向ニ進ムデアラウト云フコトデアリマス少クトモ支那ニ對シテハ斯ル現實ノ期待ガカケ得ラレルト思ヒマス

以上ノ如キ諸條件ハ世界ガ此ノ戰爭ノ過程並ニ其ノ結果ニ於テ帝國主義國家ニヨル世界再分割ニ到ルコトナク世界革命ニ到ルベシトノ豫想ノ主タル原因デアルノデアリマス

世界資本主義ガ今日完全ニ行詰ツテヰルコトハ種々ノ觀點カラ立證シ得ルノデアリマスガ何ヨリモ資本主義國家ガ自己ノ体制ヲ維持スルガタメニ斯クノ如キ犠牲多キ戰爭ヲ遂行シナケレバナラナイコト及ビ其ノ結果ガ僅ニ大衆ノ犠

性ト不幸ノミヲ齎ラシ而モ個々戦爭ニヨリ矛盾ガ除去セラレタトシテモソレハ暫定的ナ安定ヲ招來スルニ過ギナイト云フ事實ガ最モ雄辯ニ其ノ間ノ消息ヲ物語ツテヰルトイフコトガ出來ルデアラウト考ヘマス

然ラバ日本ニ於ケル革命情勢ノ進展ヲ如何ニ豫想シタカト云フ點ニ付テ述ベルト由來日本ハ帝國主義國家トシテ最モ特徴アル強力ナル國家ノ一ツデハアリマスガ其ノ資本主義經濟ノ体制ハ決シテ完實シタ強力ナモノトハ言ヒ得ズ寧ロ甚シク不均衡デアリ全体トシテ脆弱性ヲ持ツテヰルト云フコトガ出來ルノデアリマス其ノ重ナル點ヲ指摘スレバ(一)社會經濟体制ノ中ニ封建的ナ遺制ヲ多分ニ包藏シ資本主義的發展ノ立後レト跛行性ヲ存シテヰルコト(二)國內ニ重要ナル資源ヲ缺如シ又市場關係ニ於テモ英米ヘノ依存性ガ強イコ

ト(三)國内社會經濟一般ニ對シテ部分社會トシテノ軍部ノ比重ガ經濟的ニモ社會的ニモ政治的ニモ大キイコト デアリマス

從ツテ日本ハ激變セル諸般情勢ニ對處シ現在ノ國家体制ヲ維持センガタメニハ過去ト雖モ帝國主義國間ノ激烈ナル國際ノ渦ニ自ラヲ投セザルヲ得ナイ關係ニ置カレテヰルノデアリマス

私ノ竊カニ豫想シタトコロデハ第二次世界戰爭ハ其ノ經過ノ如何ニ於テ社會經濟的ニ脆弱ナル國家程最モ速ク社會的變革ニ遭遇スベキモノデアルカラ日本モ亦比較的速ニ斯ル經過ヲトルデアラウト考ヘタノデアリマス之ヲ最近段階ノ狀勢ニ照應シテ觀レバ日本ハ結局ニ於テ英米トノ全面的衝突ニ立到ルコトハ不可避デアラウコトヲ既ニ認識シ得タノデ

アリマス勿論日本ハ其ノ際樞軸側ノ一員トシテ立ツコトモ既定ノ事實デアリマシタ此ノ場合日本ノ勝敗ハ單ニ日本對英米ノ勝敗ニヨツテ決スルノデハナク樞軸全體トシテ決セラレルコト、ナルデアラウト思ヒマス日本ハ南方ヘノ進撃ニ於テハ必ズ英米ノ軍事勢力ヲ一擧打破シ得ルデアリマセウガ其ノ後ノ持久戰ニ於テハ日本ノ本來的ナ經濟ノ弱サト文藝學藝ニヨル精神ガ體デ致命的ナモノトナツテ發現ハレテ來ルデアラウト想像シタノデアリマス間モ斯ル場合ニ於テ日本社會ヲ破局カラ救ツテ方向轉換乃至原体制的再建ヲ行フ力ハ日本ノ支配階級ニハ殘サレテ居ラナイト確信シテヰルノデアリマス結局ニ於テ身ヲ持ツテ苦難ニ當ツタ大衆自体ガ自ラノ手ニヨツテ民族國家ノ再建ヲ企圖シナケレバナラナイデアラウト思ヒマス玆ニ於テ私ノ大雜把ナ對處方式ヲ施ベマスト日本ハ其ノ破局ニヨツテ不必要ナ犧牲ヲ拂ハサレルコトナク立チ直ルタメニモ又英米カラ一時的ニ壓倒セラレナイタメニモ行クベキ唯一ノ方向ハソ聯ト提携シ之カ援助ヲ受ケテ日本社會經濟ノ根本的立テ直シヲ行ヒ社會主義國家トシテノ日本ヲ確乎トシテ築キ上ゲルコトデナケレバナラナイノデアリマス

日本自体ノプロレタリアートノ政治的力量モ經驗モ殘念乍ラ弱ク而モ充分ナ自ラノ黨的組織ヲ持タナイコトノタメニソ聯ノ力ニ待ツ點ハ極メテ多イト考ヘラレルノデアリマス英米帝國主義トノ敵對關係ノ中デ日本ガ斯ル轉換ヲ遂ゲル爲メニハ特ニソ聯ノ援助ヲ必要トスルデアリマセウガ與ニ中國共產黨ガ完全ナヘゲモニーヲ握ツタ上デノ支那ト資本主義機構ヲ脱却シタ日本トソ聯トノ三者ガ緊密ナ提携ヲ遂

ゲルコトガ理想的ナ形ト思ハレマス
以上ノ三民族ノ聯帶ナ結合ヲ中核トシテ先ヅ東亞諸民族ノ民族共同體ノ確立ヲ目指スノデアリマス東亞ニハ現在多クノ植民地半植民地ヲ包括シテヰルノデ此ノ立遲レタ諸國ヲ直ニ社會主義國家トシテ結合スルコトヲ考ヘルノハ實際的デハアリマセヌ日ソ支三民族國家ノ聯帶友好ナル提携ヲ中核トシテ更ニ英米佛蘭等カラ解放サレタ印度、ビルマ、泰蘭印、佛印、フイリツピン等ノ諸民族ヲ各々一個ノ民族共同體トシテ前述ノ三中核體ト政治的經濟的文化的ニ密接ナル提携ニ入ルノデアリマス此ノ場合夫々ノ民族共同體ガ最初カラ共產主義國家ヲ形成スルコトハ必ズシモ條件デハナク過渡的ニハ其ノ各民族ノ確立ト東亞的互助聯環ニ最モ都合良キ政治形態ヲ一應自ラ撰ビ得ルノデアリマス尚此ノ東亜新秩序社會ニ於テハ前記ノ東亜諸民族ノ外ニ蒙古民族共同体、回教民族共同体、朝鮮民族共同体、満洲民族共同体等ガ参加スルコトガ考ヘラレルノデアリマス

申ス迄モナク東亜新秩序社會ハ當然世界新秩序社會ノ一環ヲナスベキモノデアリマスカラ世界新秩序完成ノ方向ト東亜新秩序ノ形態トガ相矛盾スルモノデアツテハナラナイコトハ當然デアリマス

尙日本ニ於ケル社會体制ノ轉換ニ際シテトルベキ手段ノ構想ハ日本社會ノ舊支配体制ノ急激ナ崩壊ニ際シテ急速ニプロレタリアートヲ基礎トシタ黨ヲ整備強化シ單獨ニ又ハ他ノ聯絡シ得ル黨派トノ聯合ノ下ニプロレタリアートノ獨裁ヲ目指シテ闘爭ヲ展開シテ行クベキモノト考ヘマス現在日本ノプロレタリアートノ護ルベキ日本共産黨ハ殆ド潰滅ノ

狀態ニ在ルノニ鑑ミ此ノ豫想ニハ相當ノ困難ヲ伴フノデアリマスガ之ニハ國內ノ他ノ友黨トノ共同戰線ノ締結ト國際的友好勢力特ニソ聯邦ノ黨ノ援助ニ依ツテ其ノ際急速ニ黨ノ擴大強化ヲ計ル可能性ガ考ヘラレル譯デ此ノ黨ヲ中核トシテ社會運動ヲ遂行シ得ルト考ヘラレルノデアリマス

八、問　被疑者ノ上海ニ於ケル活動ニ付キ述ヘヨ

答　私ハ昭和三年十一月末頃朝日新聞社特派員トシテ上海ニ渡リ昭和七年二月ノ上海事變ノ直後迄同地ニ駐在シテ居リマシタカ其ノ間ニ於ケル活動ノ主ナルモノハ

一、支那ノ文藝左翼トノ關係

二、東亞同文書院左翼學生グループトノ關係

三、中共黨滬政治機關

四、國際共黨トノ關係

五、中國勞働通信社上海駐在員張トノ關係

六、ゾルゲ及アグネス・スメドレー等トノ諜報活動ノ關係

テアリマス

九、問　然ラハ支那ノ文藝左翼トノ關係ニ付キ述ヘヨ

答　私ハ上海ニ行ツタ間モナイ昭和三年十二月頃當時居住シテ

居タ北四川路附近ニ在ル「創造社」ニ出入リシ初メマシタ
創造社ハ　　　郭　沫　若
ノ創メタ左翼文化運動ノ機關デ中國ノ文藝左翼ト稱セラレ
ル人達カ此處ニ集ツテ居リマシタ私ハ創造社ニ出入スル内
左翼藝術家デ文藝家デモアツタ　　　沈　　叶
ト知合ヒ同人ノ屬スル左翼グループニ次第ニ近付イテ行キ
マシタ、當時交際シタ主ナル文藝左翼ノ人達ハ

鄭　伯　奇
馮　乃　超
田　　　漢
郁　達　夫

王獨濟

成仿信

嘗テ此ノ人達ノ發行シテ居タ雜誌「大衆文藝」主催ノ座談會ニモ招カレテ一回出席シタ外白川次郎或ハ歐佐起ノペンネームデ同雜誌ニ數篇ノ論文ヲ執筆投稿シタリシマシタ「大衆文藝」ハ昭和四年春上海公安局ノ彈壓ヲ受ケテ廢刊トナリ同時ニ創造社モ閉鎖ヲ命セラレ其ノ爲仲間カ次第ニ分散シテ行ツタノテ私ト文藝左翼トノ連中トノ交渉ハ次第ニ切レテ行ツタノテアリマス

十、問　次ニ東亞同文書院左翼學生トノ關係ニ付キ述ヘヨ

答　昭和五年頃東亞同文書院ノ文藝部委員

加藤米太郎

安齋庫治

等ヲ指導者トスル左翼學生カ學校當局ノ許可ヲ得テ文藝部ノ機關誌「新興學藝」ノ發行ヲ計畫シ新聞發行ノ準備カナイノテ加藤安齋兩名ハ私ヲ訪レテ其ノ指導ヲ乞ヒマシタカラ私ハ之ヲ引受ケ兩名等ニ適當ナ助言ヲ與ヘテ來マシタ

當時上海ニハ共產主義的思想カ横溢シテ居タノテ學生等ハ之ニ刺戟サレ共產主義ノ研究會ヲ持ツコトニナリ私ニチユータートナツテ呉レト云ツテ來マシタカラ私ハ之ヲ承諾シプハーリンノ「史的唯物論」ヲテキストトシテ同年夏頃迄ノ間上海施高塔路花園里ノ私方テ三・四回ニ亙リ研究會ヲ開キ學生ノ啓蒙ニ當リマシタ　當時集ツタ學生ハ

加藤米太郎

安齋庫治

中西功

水野成

由井華行

學テアリマシタ

此ノ研究會ハ其ノ内私カ幹事トナリ治療ノ爲東京ニ歸ツタノチ中止トナリマシタ　併シ乍ラ私ノ上京中加藤等ハ中國ノ共產黨中間黨ノ運動ニ參加シ之カ學校當局ニ暴露シテ大方中途退學トナリマシタ

十一、問　楊柳青トノ關係ニ付キ述ヘヨ

答　私ハ昭和五年秋[illegible][illegible][illegible]同文書館ノ左翼學生ノ陳カヲ介シテ楊柳青ト知合ヒマシタ　同人ハ變トモ言ヒ陳伍トモ言ヒマシタカ本名ハ陳果ト言フタサウテアリマス

楊柳青ハ中央ノ江蘇省委機關カ上海組織ヲシテ居タ人テ私トノ關係ハ左翼ノ立場カラ相互ニ情報ノ交換ヲ行フ事ニ

飾ツタノデアリマス

私ハ昭和六年末頃強楊樹會ト屢々連絡シテ情報ノ交換ヲ行ツテ居リマシタカ其ノ間同人ノ生活カ苦シカツタノテ個人的ニ毎月二、三十元位宛援助シタ外中共ノ活動資金ノ提供ヲ求メラレテ毎月[illegible]ツ[illegible]シテ二十元位宛提供シテ來マシタ又昭和六年暮頃楊樹會ニ頼マレテ當時夜學ヲ設ケル爲中共ヲ新ニ組織シタ飛行集會ノ監視ヲ一、二回依頼シタコトカアリマス飛行集會トイフノハ公園ノ如キ所ヲ風ノ如ク集リ極メテ短時間ニ協議ヲシテ又風ノ如ク散ル會議ノヤリ方ヲ習フノテアリマシテ所謂ナ集會ハ別ナ部門ヨリ其ノ實際ノ狀況ヲ監察スル必要ノアル處カラ顔ヲ知ラレテ居ナイ私ニ之ヲ依頼シタモノト思ヒマス　私ハ中央郵便局附近ノ小公園並ニ楊樹浦附近テ行ハレタ飛行集會ヲ遠クカラ監察シタコ

トナツテ居リマス　又私ハ現在延安ノ馬列學院ノ副院長

王學文

トモ楊樹浦ノ紹介デ知合トナリ支那ノ小資産階級ニ於テ同人ト連絡シ意見ノ交換ヲ行ツテ居リマシタカ其ノ團體ハ五、六團デアリマシタ

十三、問　中國勞働通信上海駐在員某トノ關係ニ付キ述ヘヨ

答　中國勞働通信トイフノハチヤイニーズ・ウオーカース・コレスポンデンス（即チC・W・C）ノコトデ中共ノ對外宣傳機關誌デア[illegible]リマス　私ハ昭和六年中頃カラ自分ノ支那關係ノ先生トシテ當時二十五、六才ノ支那人ニ來テ貰ツテ居リマシタカ實ハ其ノ男ハ中國勞働通信ノ上海責任者テアツタノデアリマス　此ノ男ハ雇入レテ間モナイ頃ニ自分ノ正体ヲ明カニシテ情報ノ交換ヲ求メテ來マシタカラ私ハ之

ヲ承継シ支那語ノ教授ノ外ニ情報ノ交換モ行ツテ来タノデアリマス　私ノ方カラハ国民党関係及日本関係ノ情報ヲ、先方カラハ中共、農民運動、労働運動等ノ情報ヲ夫々提供シ合ヒ尚上海ヲ中心トスル国際情報ニ付テモ相互ニ交換ヲ致シマシタ　私ト其ノ男トノ関係ハ上海ヲ引上ゲル迄継続シテ居リマシタ

十三

問　次ニ中共駐滬政治顧問関係ニ付キ述ヘヨ

答　中共ノ駐滬政治顧問トイフノハ当時中共ノ中央ハ瑞金ニ在ツタト想像サレルノデアリマスカ上海ハ何ト言ツテモ国際政治ノ中心地デアリマスカラ中共トシテハ有力ナ政治部員ヲ上海ニ駐ラセテ其ノ方面ノ活動ニ当ラセテ居タモノト考ヘラレルノデアリマシテ此ノ政治部員ノ顧問機関カ駐滬政治顧問デアツタト思ハレマス

私ハ先ニ申述ヘタ中國勞働通信社上海駐在員某ノ紹介ニヨリ昭和六年秋頃始メテ霞飛路ノ某四川料理店ニ於ケル同盟聯盟ノ會合ニ出席シタノデアリマス

其ノ席ニハ中國人四・五名カ居リ私ハ求メラレテ、内外ノ政治情勢國際情勢並ニ之ニ對スル私ノ意見等ヲ述ヘマシタ政治問題ノ會合ニハ其ノ後斷續的ニ四・五回出テ居リマス 其ノ都度右ニ述ヘタヤウナ情報ヤ意見ヲ私ヨリ提供シ又此ノ連中カラハ國内ノ軍閥等ニ馮玉祥ヤ閻錫山等ノ動向、廣東省ニ於ケル農民運動ノ狀況、中共ノ動向等ニ付キ聞カサレマシタ。 昭和七年二月ノ私ノ歸國ニ際シ右關係ニ於テハ特ニ私ヲ三馬路ノ酒樓ニ招イテ送別會ヲ開イテ貰レマシタカ其ノ際中共ノ相當ノ地位ニ居ルト思ハレル人カ立ツテ挨拶ヲシ中共トシテハ貴方ヲ黨員ニハシテキナイカ

黨與ト商議ニ與テ語リ黨トシテ正式ニ貴方ニ對シテ感謝ノ
意ヲ表スル爲申述ヘマシタ
政治顧問團ノ會合ニ加ツタ者デ現在覺エテ居ルノハ
關　禪　山
丈ケテスカ彼ハ蘇北聯絡物資儲備時中共ノ駐滬代表テアツタ
潘　漢　年
モ其ノ内ニ居タカモ知レマセヌ

十四問　次ニアグネス・スメドレートノ關係ニ付キ述ヘヨ

答　私ハ昭和四年夏頃カラ蘇州河畔ノ書店「ツアイト・ガイスト」ニ屢々行ツテ居リマシタカ其ノ頃同書店ノ女支配人
ワイデマイヤー
ト親シクナリ更ニ同女ノ紹介ニヨリ昭和四年終頃カ昭和五年初頭

アグネス・スメドレー

ト知合ニナリマシタ

アグネス・スメドレーハ「フランクフルター・ツアイツング」上海特派員デ有名ナ米人女流作家デアリ當時米國ノ左翼雜誌「ニユー・マツセーズ」誌上デ活躍シテ居リマシタ

當時スメドレーハ上海ニ於テ國際救援會ノ活動ヲ致シ有名ナ「ヌーラン事件」ニモ盛ニ活躍シテ居リマシタ

私ハワイデマイヤーノ紹介ニ依リ英租界ノスメドレーノ家デ初メテ同女ニ會ヒ先方ノ求メニヨリ情報ノ交換ヲスルコトニナリマシタ當時ハ主トシテ新聞記者トシテノ立場カラ情報ヲ交換シタノデスカ双方共左翼的デアツタ關係上國民黨内閣ノ暴露ト云フコトニナリ勝チデアリマシタ

スメドレートノ關係ハ其ノ後モ續イテ居タバカリデナク間

女ノ仲介ニ依リゾルゲトノ關係ヲモ生シタノデアリマス

十五 問 然ラバゾルゲ等ノ諜報團体ニ加入スルニ至ツタ關係ヲ述ヘヨ

答 昭和五年十月カ十一月頃カラ私ノ許ニ

鬼頭銀一

ナル者カ出入シ始メマシタ同人ハアメリカ共産黨ニ關係シテ居タ人デアメリカカラ安南經由デ上海ニ乗込ンデ來テ居リ諜報活動ニ従事シテ居タノデアリマス

私カ鬼頭ヲ知ツテ間モナイ頃同人カラ實ハアメリカ人ノ新聞記者デヂヨンソンドイフ者カ居ルカ會ハナイカト勸メラレマシタカ私ハ當時ハマダ鬼頭ナル人物ニ全幅的ニ信頼ヲ置キ兼ネタノデ危險ヲ感シアグネス・スメドレーニ聞イテ見タナラ其ノ新聞記者ノ素性カ判ルデアラウト思ヒスメドレーニ會ツテ其ノ話ヲシタ處スメドレーハ非常ニ緊張シタ

面持チテ其ノ事ハ誰ニモ話シテヰナイカト言フノテ其ノ旨答ヘマスト両女ハ其ノ人物ナラバ自分ニモ心當リカアルカ此ノ事ハ誰ニモ言ツテハナラヌト固ク口留メサレマシタ其ノ後間モナクスメドレーニ行ツタ際両女ハ其ノ人ハ非常ニ優レタ人物デアルカラ自分カラ紹介シヨウト言ツテ私ヲ南京路ノ或支那料理店ヘ連レテ行キ其處デ私ヲ其ノ外人ニ引合ハセテ呉レマシタ此ノヂヨンソント名乗ツテ居タ男カ

　　リヒアルト・ゾルゲ

デアツタノデアリマス

其ノ際ゾルゲカラ

一、日本ノ新聞記者トシテ集メ得ル限リノ支那ノ内部情勢

二、日本ノ對支政策ノ現地ニ於ケル適用

等ニ就テ報セテ貰ヒタイト頼マレ之ヲ承諾シテ同人ノ諜

報活動ニ協力スルコトニナツタノデアリマス私トシテハ話ノ緒ヲ最初持ツテ来タノカ米国共産党ノ鬼頭銀一デアツタコトヤ国際的ニ有名ナ女流左翼作家ノスメドレーカラ紹介サレタコトカラゾルゲノ素性ハ国際共産党ノ工作関デ諜報活動ニモ従事シテ居ル人物デアラウト直ニ察シタノデアリマス既ニ述ヘタ通リ私ハ共産主義ヲ信シ共産主義者トシテ活動ヲスル決意ヲシテ居リマシタカラゾルゲニ協力シテコミンテルンノ為諜報任務ニ従事スルコトハ誠ニ意義深イコトデアルト考ヘテゾルゲニ協力スルコトニシタノデアリマス

私ハ爾来昭和七年二月上海引上ゲ迄ノ間毎月一回位宛静安寺路ノ街外レニ在ルアパートノスメドレーノ部屋ヤ上海市内ノ料理店デゾルゲト連絡シ情報ヲ提供シタリ私ノ

意見ヲ述ヘタリシテ來マシタ
職務ノ私ニ課セラレタ任務ハ先ニ述ヘタ通リテアリマス
カ其ノ後昭和六年九月滿洲事變カ起キテカラハ特ニ
一日本ノ對滿政策ノ現状及其ノ將來
二日本ノ滿洲政策ノ對ソ關係ニ及ボス影響
三日本ノ對支政策ノ現状及其ノ將來
等ガ問題トシテ採リ上ゲラレ之ニ關スル情勢ヤ私ノ意見
ヲ求メラレタノテ之ニ付キ判斷ヲ致シテ居リマスカ其ノ
詳細ハ殆ド記憶シテ居リマセヌ

十六問　上海ニ於ケルゾルゲノ諜報團體ノ構成ハ如何

答　私ハ上海時代ニ於テハゾルゲカ如何樣ナグループヲ創ツテ
活動シテ居タカハ詳シクハ判リマセヌテシタスメドレーカ
ゾルゲト同シ仲間テアルコトハ、勿論判ツテ居リマシタカ何方カ地位ガ上ナノカヨク判リマセヌデシタ併シ新名ノ断合ノ具合ヤ輪番ノ情況カラ見テゾルゲガ上位ニ在ルモノト想像シテ居リマシタ

ゾルゲノグループヲ知ツテ居タ外人ハスメドレー丈ケデシタカ他ニ日本人ノ仲間ノアルコトハ承知シテ居マシタ

日本人ノ仲間ハ私ノ外

鬼頭銀一
川合貞吉
水野成
山上正義
船越寿雄

等デアリマス

鬼頭銀一ニ就テハ前ニ申述ヘタ通リデ同人カゾルゲヲ私ニ

紹介シヨウトシタ位デスカラ関東ノ一人ニ相違ナイト思ヒマス

川合貞吉ハ當時上海週報社ニ勤務シテ居タ人デ小松、田代、手島、橋都ト共ニ所謂衛左翼グループノ一人デアリマシタ

満洲事變カ起ツタ時ゾルゲヨリ満洲ノ現地情勢ヲ觀察ニヤル人ヲ求メラレタノデ私ハ先ニ述ヘタ楊樹甫ニ相談シタ處同人ハ川合貞吉ヲ紹介シテ呉レタノデ私ハ川合カ小松等ノ日本人グループト完全ニ手ヲ切ルコトヲ條件トシテ吾々ノ仲間ニ入ルヨウ勧ノ同人モ之ヲ承諾シタノデ直ニ川合ヲゾルゲ及スメドレーニ紹介シ此ノ運動ニ參加セシメタノデアリマス同人ハ二回ニ亘リ満洲ニ赴キ現地ノ情勢ヲ調査報告シテ居リマス

水野成ハ先ニ述ヘタ通リ東亞同文書院ノ學生デアリマスカ

彼カ如何ニシテゾルゲノグルーブニ參加シタカ其ノ經過ハ私ニハ判リ兼ネマスカ更ニ角水野カゾルゲノグルーブニ關シテ居タコトハ其ノ頃カラ判ツテ居リマシタ但シ私ト水野トハ此ノグルーブノ人間トシテ直接連絡シタコトハアリマセンデシタ

山上正義ハ其ノ當時聯合通信上海支局ノ記者ヲ致シテ居リ同業ノ關係サ知合テアリマシタ同人ハ古イ左翼ノ闘士デ上海デハ創造社一派トモ關係カアリ支那經驗ニ豐富ヲ蓄積シタリシテ居リマシタノデ豫テヨリ私ハ同人ニ注目シテ居リマシタ昭和七年一月私ハ大阪本社詰ヲ命セラレ内地ニ歸ルコトニナツタノデゾルゲ及スメドレート相談シタ上私ノ後任トシテ豫テ嘱目シテ居タ山上ヲ推薦シ双方ノ連絡方法ヲ指示シタ上上海ヲ引上ケタノデアリマシテ其ノ結果山上ト

ゾルゲトノ連絡カ出來タノデアリマス
船越壽雄ハ當時上海每日新聞記者ヲ致シ左翼ニ興味ヲ持チ且同窓デアツタ關係カラ私ハ極メテ親シクツキ合ツテ來マシタ船越ハ實踐ノ經驗モナク又理論活動ニハ不向ナ性格デアルト思ハレマシタカラ同人ヲヤメテ山上ヲ私ノ後任者トシテ推薦シタノデアリマシタカ昭和七年夏頃川合カ北支カラ大阪ニ來タ時ノ話ニ依テ山上カゾルゲトノ關係ヲ恐レテ自ラハ巧ニ身ヲ退イテ代リニ船越ヲゾルゲニ結ヒ付ケタコトヲ知リマシタ船越ノ活動期間ハ餘リ永イモノデハナイト思ヒマス其ノ理由ハ私カ上海ヲ引上ケテカラ一年位經過シテ後ゾルゲハモスコーニ歸リ更ニ日本ニ來テ居リ船越モ亦其ノ當時上海ヲ引上ケ天津ニ居住シ讀賣新聞社ニ關リ更ニ昭和十年來滿支那問題研究所ヲ開設スルニ至リマシタカラ

ゾルゲトノ關係ハ永クトモ一年間位デハナカツタカト想像セラレルカサデアリマス

十七 問 上海時代ニ於テゾルゲニ提供シタ情報ニ付キ述ヘヨ

答 私カ上海ニ於テゾルゲ等ト活動シタノハ隨分前ノコトデアリマスノテ唯今ハ殆ト記憶ニアリマセヌカ調査ノ目標ハ先ニ述ヘタ通リ日本ノ對滿政策ノ現状及其ノ將來其ノ對ソ關係ニ及ホス影響並ニ日本ノ對支政策ノ現状及其ノ將來ニアツタノテアリマス具体的ナ情報ヲ記憶ニ殘ツテ居ルノヲ申上ケレハ

一、昭和六年八月頃揚子江流域ノ大水害ノ當時朝日新聞社ノ命ニ依リ漢口ノ水害情況ノ視察ニ行ツタ際ゾルゲノ要求ニ依リ水災下ノ漢口ノ政治情勢特ニ市民ノ動靜國民黨市黨部員ノ意向、共產軍ノ進出情況、武昌城壁ノ保存等ヲ

調査シ報告シタコト

二、同年九月乃至十二月ノ間滿洲事變直後ノ國民政府部内ノ情勢特ニ蔣介石派カ日本トノ直接交渉ヲ回避スル反面抗日ヲ煽動シ置ハメ一面抵抗一面交渉トイフヤウナ對日態度ヲ採ツテキルコト、列國ノ支那ニ對スル關係、蔣介石ト汪兆銘トノ合作ノ運動カ進メラレツヽアルコト等ヲ調査報告シタコト

三、昭和六年九月頃ヨリ翌年七月頃迄ノ間ニ滿洲事變後ノ滿洲ニ對スル日本ノ動向ヲ調査報告シテキルコト

四、昭和七年一月乃至三月ノ間ニ於テ上海事變前後ノ情勢ヲ報告シテキルコト

等デアリマス

右ノ滿洲事變後ノ滿洲ニ對スル日本ノ動向ハ特ニ川合貞吉

ヲ滿洲ニ派遣シ調査セシメタ上ヲ報告シテ居ルノデアリマスカ其ノ内容ハ于沖漢熙洽等滿洲要人カ日本ニ協力シテ居ル事實、滿洲ノ治安ハ甚ダシク亂レ、匪賊カ跳梁シテ居ル情況、關東軍ハ溥儀ヲ擁立シテ獨立國ヲ創ラントスル意圖ヲ持ツテ居ルコト等デアリマシタ

又上海事變前後ノ情勢トシテハ十九路系軍隊ノ鼻息カ荒ク上海商人ノ排日氣勢カ極メテ熾烈デアルコト、其ノ爲日本側モ準備ヲ進メツヽアルノデ日支間ニ衝突ノ起ル危險ノアルコト、上海事變勃發後初期ノ間ハ日本側ハ消極的デ戰爭擴大ヲ回避セントスル態度デアツタカ其ノ後陸戰隊ヲ參加シテ強硬態度ヲトルニ至ツタコト等ヲ調査報告シタノデアリマス

私ハ是等情報ハ主トシテ朝日新聞上海支局ニ入ル情報、新

關係者ノ中江俱樂部、日本人俱樂部、支那人新聞記者團、外國人新聞記者團、中共ノ機關紙、中國紡織會社上海駐在員集、滿鐵上海事務所、三井物産上海支店其ノ他ヨリ入手シテ居タノデアリマス

十八

問　上海引上ゲ後アダキス・スメドレートノ關係ヲ述ヘヨ

答　私カ上海ヲ引上ゲテ後モスメドレートノ間ニハ文通カアリマシタ

昭和七年夏頃川合貞吉カ上海カラ引上ケテ來テソルゲヤスメドレートノ連絡カ切レタコトヲ報告シマシタカラ私ハスメドレーニ宛テヽ川合ノ情況ヲ通知シテヤリマシタカ其ノ後同年末ニ至リ上海ノスメドレーカラ重要ナコトテ相談シタイカラ北京ニ來テ呉レト言ツテ來マシタノテ私ハ龍ノ會合ノ日時場所ヲスメドレーニ通知シテ置イタ上同年十二月

二十四、五日頃新聞社ノ休暇ヲ利用シテ秘ニ北京ニ行キ陸ヲ打合セテ置イタ通リ燕京飯店デスメドレート落合ヒ更ニスメドレーノ親密シテ居タ支那人ノ紹介デ相談シタ結果満洲事變以来日本ノ勢力カ満洲ヨリ北支ニ南下スル傾向ニアルノデ今後ハ北支ヲ中心ニ活動スル必要ノアルコトヲ認メ其ノ見地カラ北京及天津デ日支人ノ諜報團ヲ組織スルコトニシ日本人カラハ川合貞吉ヲ擧ヒ其ノ組織ノ確立ニ當ラセルコトニナリマシタカラ私ハ早速天津ニ居タ川合ヲ呼寄セ同人ヲスメドレーノ親密ニ案内シテ同女ニ連絡ヲツケタ上時間ニ餘裕カナカツタノデ直ニ引上ゲ歸關致シマシタ
其ノ後川合カラ聞イタ處ニ依ルト一應日支人ノ諜報組織カ出來上リ或程度活動シタ模様デスカ支那人ト川合トノ連絡カ切レタ爲組織ハ潰レタトノコトデシタ

尤モ北京ニ於ケル聯絡組織ニハ

河村　幹雄

カ參加シテ居リマス
同人ハ南開圖書館ノ在籍學生デ昭和七年夏川合カ勸誘シタ際同人ヨリ河村ノ事ヲ聞イテ居リマシタカラ同年八月新京ハルビン方面ヲ旅行シタ節擔大舘デ河村ヲ訪ネ秘ニ人物試驗ヲ致シテ居リマス在舘ヲ承諾テ河村ノコトハ既ニ知ツテ居リマシタカラスメドレーヤ川合ト北京テ日支人ノ組織ヲ作ル相談ヲシタ際河村ヲ參加セシメルコトニ賛成シテ置イタノデアリマス
尚スメドレート北京テ會ツタ時同女ヨリ「日本ニ於ケル勞働運動ノ現勢」ノ調査ヲ依頼サレマシタノテ歸國後白川次郎ノペンネームテ執筆シ之ヲ上海ノスメドレーニ郵送シマ

シタカ此ノ論文ハ上海ノ英文左翼雑誌チャイナ・フォーラム（中國論壇）ニ掲載セラレマシタ
其ノ後昭和八年春頃ヨリ一時スメドレートノ連絡カ杜絶ニマシタカ昭和九年ノ春頃アメリカカラ手紙カ來テ日本ヲ經由シテ上海ニ行クノテアルカ日本テノ上陸ハ許可サレナイテアラウカラ覺悟ダト書ツテ來マシタカ同年九月下旬突然東京朝日新聞社へ訪ネテ來テ横濱テノ上陸カ許サレタノテ訪ネテ來タ見物シタイカラト申シマシタノテ上野ノ博物館ヤ畫廊等ニ案内シ夕方歸艦シナケレバナラナイノデ殆ド話ラシイ話モセズニ別レマシタ其ノ後同年中二囘程スメドレーカラコミンテルンニ於テファッシズムヲ批判シタ各種ノ論文ヤ中共ノ論文コミンテルンニ於ケル日本人代表ノ論文（孰レモ支那文）等ヲ送リ届ケテ來マシタ斯様ナ左翼文

點ノ應付モ私ノ方カラ機關ノ危險カアルカラト斷ツテヤツタノテ其ノ後杜絶ニマシタスメドレートノ連絡ハ昭和九年春ゾルゲト相談シタ上組織ヲ新ニシタ同志トノ連絡ニハ危險カ伴フノテ之ヲ切ルコトニシ其ノ旨ヲ私ヨリスメドレーニ申送リ關係切レ今日ニ到ツテ居ル次第テアリマス。

檢事訊問調書（三月七日）

被疑者　尾崎秀實

問　被疑者カ日本ニ於テ再ヒゾルゲ黨ノ諜報團体ニ參加スルニ至ッタ經緯ヲ述ベヨ

答　昭和七年二月上海引揚ケ後ハゾルゲトノ連絡ハ全ク切ッテ居リマシタカ昭和九年ノ晩春突然大阪市北區仲ノ島ノ大阪朝日新聞社ニ「南龍一」ナル名刺ヲ持ッタ一青年カ私ヲ訪ネテ來マシタカラ會ッテ見マスト訪問ノ用件ハ私カ上海時代ニ非常ニ親シクシテ居タ外人カ今、日本ニ來テ居ッテ是非私ニ會ヒ度イト云ッテ居ルカラ會ッテ呉レナイカト云フコトテシタ私ハ其ノ青年ニ對シ一應警戒シマシタカ色々聞イテ見マスト其ノ外人トハジョンソン即チゾルゲテアルコトカ略々判ッテ來マシタカラ與ニ其ノ日ノ夕方西區土佐堀船町ノ支那料理店「白鶴亭」デ再ビ其ノ青年ニ會ヒ色々聞イタ結果其ノ外人カゾルゲニ相違無イコトヲ確メルコトカ出來マシタ其ノ青年ハ

宮城與徳

テアメリカ共產黨員デシタカコミンテルンノ指令ヲ受ケテ日本ニ派遣サレテゾルゲト共ニ諜報活動ニ從事シテ居ル者デ私ヲ訪レタ使命ハゾルゲト私トノ連絡關係ノ爲メデアルコトヲ知リ得タノデアリマス其ノ翌日頃ニモ宮城ニ兵庫縣川邊郡稲野村口關根二百三十三番地ノ自宅ヘ來テ貰ヒ兼ネテ求驗シタ様ナ氣モ致シマスカ與ニ角宮城ヲ通シテゾルゲトノ連絡ヲ約シ其ノ數日後奈良公園内ノ指定ノ場所デゾルゲト再會シタノデアリマス

其ノ際ゾルゲカラ日本ニ於ケル諜報活動ニ協力方ヲ依頼サレ

タノデ私ハ再ヒゾルゲト共ニ諜報活動ヲ爲ル決意ヲ爲シ同人ノ申入レヲ快諾シテ爾來檢擧ニ至ル間諜報任務ニ從事シテ來タ次第デアリマス

問 日本ニ於ケル諜報團体ノ人物構成ニ付キ述ヘヨ

答 昭和九年春宮城與徳ノ連絡ニ依リゾルゲトノ關係カ復活シタコトハ既ニ述ヘタ通リデアリマス其ノ頃ゾルゲト共ニ此ノ諜報活動ニ從事シテ居タ者ニ付テハ宮城以外ニハ何等知ルトコロカナカツタノデアリマスカ其後東京朝日新聞社ニ轉勤ニナツテカラ昭和十一年秋頃品川洲崎館ニ於ケルゾルゲトノ連絡ノ時ゾルゲカ來ナイデ同人ノ代理ト稱スル獨系英人「フアイナンシヤル、ニユース」特派員ノジンター、シユタインカ參リ初メテ他ノ關係者ノ一人ヲ知リマシタ同人ハ有名ナ新聞記者デ顏コソ判リマセヌデシタカ名前ハ既ニ聞イテ居リ誰メ宮彼カラ同人カゾルゲニ代ツテ連絡ニ来ルコトヲ聞イテ居ヌノデ安心シテ連絡シタノデアリマスゲンターシユタイントハ其後昭和十二年暮頃迄ノ間ニ前後三回位東京市ノ料亭等テ連絡シマシタカ連絡場所トシテハ歌舞伎座ノ「蛸つる」銀座京橋詰「オリムピツク」ヲ憶ヘテ居リマス同人トノ前後四回位ノ連絡ノ際時事問題等ニ関シ雑談シタコトハ間違イアリマセヌカ其ノ内容ハ只今全ク記憶ニ残ツテ居リマセヌゲンターシユタイントハゾルゲ関係ノ組織トハ別個ニ同人ノ求メニ依リ前後四回位麻布有栖川公園横手ノ同人宅デ内外ノ経済其ノ他ノ問題ニ付キ廣ク意見ノ交換ヲ行ヒマシタシユタインハ昭和十三年頃日本ヲ去ツタノデ以後同人トノ関係ハ切レテ居リマス

私ハゾルゲトハ従前ハ主トシテ市内ノ料亭等デ連絡シテ居リ

マシタカ昨年一月頃カラ外デ會フコトノ危険ヲ感シタノデ爲麻布署附近ノゾルゲノ宅デ會フコトニナリ爾來最初ハ月二回位同人宅デ連絡ヲ續ケテ居リマシタカ昨年春ゾルゲ宅ニ行ツタ時四十才頃ノ肥ツタ快活ナ男カ來テ居リ其後九月末ニモ一回ゾルゲ宅デ其ノ男ニ會ツテ居リマス此ノ男ノ身許ニ付イテハゾルゲカラハ何等説明ヲ受ケマセヌデシタカ私ハ豫テヨリゾルゲカ無電デモスコートト連絡シテ居ルコトハ類推シテ居タ許リデナク宮城カラモ其ノ男ノ事ヲ宮城ノ所謂「デ・ブ公」ハ無電技師デ吾々ノ同志ダト聞カサレテ居リマシタカラゾルゲノ説明ヲ待ツ迄モ無ク其ノ男ヲ無電關係擔當ノ同志ト察シマシタ尤モ其ノ「デブ公」ナル男トハ吾々ノ仕事ノ關係デ直接會ツタコトハナク偶然ゾルゲ宅デ顔ヲ合セタト云フニ過キマセヌ[illegible]ハ會ツタコトハアリマセヌカ昭和十五年秋頃宮城カラ

吾々ノ仕事ニ協力シ資料ノ撮影ヲ擔當シテ居ルユーゴー人ノ寫眞技師ノ居ルコトヲ聞キテ居リマス其ノ男ハ後ニ日本人ト結婚シタ爲メニ宮城夫人ハ同人宅ヲ使フノニ非常ナ困難ヲ來シテ居ルトノ事テシタ其ノ他ニハ吾々グループニハ外國人ハ居ラヌト思ヒマス

吾々グループノ内テ日本人テハ私及宮城ノ外ニ

川合貞吉

水野成

兩名カ居リマス宮城ハ自己ノ協力者トシテ日本人二、三名ヲ持ツテ居ツタト想像シテ居リマスカ如何ナル人物ヲ使ツテ居タカハ私ノ方カラ説明ヲ求メタコトモナク又宮城カラモ明カニサレタコトモナイノヲ判リマセヌテシタ

川合貞吉

カ吾々ノ仲間ニ入ツタノハ既ニ申述ヘタ通リ上海時代ノコトデアツテ満洲事變後ノ滿洲ノ現地情勢調査ノ爲メ私カゾルゲ及スメドレートモ相談シ川合貞吉ヲ選ンデゾルゲトスメドレー兩名ニ引合セ滿洲ニ派遣シタコトニ始ツテ居リマス川合ハ最初ハ上海デ活動シ昭和七年末カラ昭和八年ニ掛ケ私ノ斡旋ニ依リ北京デスドレート連絡シスドレーヤ他ノ支那人ト連絡シテ諜報活動ヲシテ居リマシタカ昭和九年頃支那人トノ連絡カ切レタト云ツテ上京シテ來マシタ私ハ其頃ハゾルゲトノ連絡カナカタノデ兎ニ角北支ニ歸ツテ居ル様ニ命シ旅費ヲ苦面シテ天津ニ歸シマシタ其ノ後昭和十年頃川合ハ再渡上京シ東京朝日新聞社ニ私ヲ訪ネテ來マシタカラ私ハ「東京ニ居テ日本ノ情勢デモ勉強セヨ」ト命シテ東京ニ止マラセマシタ私ハ川合ヲ此ノ仕事ニ使フ心算デ同年五月頃ニハ上野池ノ端ノ料亭

ニ於ケル冨城トノ連絡ノ爲川合ヲ開進シ冨城ニ上海時代ノ同志トシテ紹介致シマシタ川合ハ右翼上リノ朋ヲ右翼方面ニ潜シテ居ルノデ日本ノ右翼關係ノ調査ヲヤツテ貰フコトニシテ其ノ方面ノ情報ヲ取ラセテ居リマシタ又川合ハ冨城トモ直接連絡シ個人ノ命ニ依リ必要ナ情報ヲ蒐メテ居リマシタ私ハ川合ニ命シテ北一輝ノ「日本改造法案」ヤ昭和十年中總部村中交ノ「肅軍ニ關スル意見書」ヲ冨城ニ屆ケサセタコトモアツタト記憶シテ居リマス川合ハ昭和十一年一月檢擧サレ新京ニ送ラレマシタガ釋放サレ其後ヘ天津ノ船津ノ支那問題研究所ニ協力シ昭和十二年五月頃ニハ支那問題研究所南京支所設置ノ目的デ上京シ私トモ連絡シマシタガ殆ト私達ノ仕事ハセス約一年位デ再ビ天津ニ歸リ間モ無ク支那問題研究所ヲ退キ大連特務機關ニ働キマシタ併シ其處モ程ナク辭メテ天津日日新

開社内テ白河研究所ヲ組シタト聞イテ居リマス昭和十四年九月頃又モ漂然ト上京シ此ノ時ハ間ナク北支ニ渡リマシタカ内地ノ生活モ思ハシクナイ爲メ昭和十五年九月頃天津ヲ引上ケ上京シテ來タノテ私ハ何カ仕事ヲ探シテヤラウト思ヒ暫ク生活ノ面倒ヲ見テヤリ次イテ昭和十六年四月頃神田區錦町河岸ノ大日本再製紙株式會社ニ入社セシメ今日ニ至ツタノテアリマス川合ハ上京ノ都度當ニ北支方面ノ現地情報ヲ齎シテ來テ居リマシタ川合ノ齎シタ情報ハ天津ノ水害状況、北支ノ治安状況、馬占山暗殺計劃、吳佩孚擁立運動ニ關スルモノ等カ主ナルモノテシタカ其ノ内容ハ只今ハ殆ト記憶シマセヌ次ニ水野成テアリマスカ同人カ上海時代ニゾルゲノグループニ關シテ居タコトハ既ニ述ヘタ通リテアリマス私ハ昭和十年末頃水野ニモ吾々ノグループノ活動ニ協力方ヲ依頼シ其ノ承諾ヲ得タノテ上野ノ池ノ端ノ料亭デ同人ヲゾルゲニ引キ合ハセテ居リマス私ハ昭和十三年春頃山王下「山王ビル」内ニ支那研究室ヲ設ケマシタノデ水野ニハ此ノ研究室ノ管理ヲ依頼シタ外私ノ原稿ノ材料蒐メ原稿ノ清書ヲサセ又時ニ代筆ヲシテ貰ツタモアリマシタ

昭和十六年五月頃私カ太平洋問題調査會ニ出席ノ爲メ出發スル直前水野ヲ宮城ニ同志トシテ紹介シ以來水野ハ宮城トモ連絡ヲ續ケテ來テ居リマス水野ニ對シテハ私ノ私的ナ仕事ノ外ニ昭和十五年二月頃「第六十八議會ヲ通シテ現ハレタ既成政黨解消運動ニ關スル各政黨ノ動向」同年夏頃「支那事變發生後ノ日本農村ノ經濟状態」其ノ他ノ調査ヲ命シ報告書ヲ受ケタ上、宮城ヲ通シテゾルゲニ渡シテ居リマス

尚水野ニハ昭和十四年夏同人ノ京都歸郷ニ際シ「第十六師團

ノ派遣先」ノ調査ヲ、昨年八月歸郷ニ際シ「京都師團ノ七月召集兵ノ補充出動ノ有無」ノ調査ヲ命シ前者ハ確カニ何人ヨリ報告ヲ受ケ之ヲゾルゲニ傳達シテ居リマスカ報告ニ依ル京都師團ノ派遣先ハ只今ハ記憶ニアリマセヌ後者ハ私ノ旅行不在ノ爲メ私ニハ報告カナク代リニ宮城ニ報告サレテ居ルト思ヒマス

尚私カ情報蒐集ヲスルニ付キ利用シタ人ニ

船越寿雄

海江田久孝

カアリマス

船越寿雄ハ私ノ父秀眞ノ知合船越[illegible]太郎ノ長男デ大正十一年頃東京ニ遊學シ明治大學經濟學部豫科ニ學ヒ私ハ一高ノ學生デアツタノデ同人ト戸塚源兵衛町二百二十三番地ニ一戸ヲ借

受ケテ開店シタコトカアリマシタ當時ハ左翼運動華カナリシ頃デシタカラ嫌疑モ亦明治大學デ左翼ノ研究ヲシテ居タ様デシタ私カ大學ヲ卒業シ大阪ニ勤務スル様ニナツテカラハ[illegible]機會モ稀デシタカ昭和十年東京朝日新聞社ニ轉勤トナルニ及ヒ當時三省堂ニ勤務シテ居タ嫌疑トノ交際ハ直ニ復シマシタ其ノ頃ヨリ宮城トノ連絡ハ頻繁トナリマシタカ吾々ニ缺ケテ居ルノハ軍事智識デシタカラ軍事ニ通スル者ニ近付キ缺點ヲ補フ必要ヲ感シテ居タトコロ幸ヒニモ嫌疑ハ子供ノ時代カラ軍器ヤ機械ニ特別ノ興味ヲ以テ研究シテ居タノテ私ハ同人ヲ利用スルコトニ依リ吾々ノ缺點ヲ補フコトカ出來ルト考ヘ嫌疑ニ會ヒ「自分ノ様ナ評論家トシテハ軍事智識カ必要デモアルシ左翼革命トデモナタハ尚更デアルカラ軍事智識ヲ君ニ聞キ度イ組織的ナ教科書ノ様ナモノヲ書イテ與レ」ト頼ン

タトコロ間モ無ク個人ハ「ノート」ニ世界各國ノ軍ノ組織装備ヲ書イテ持ツテ來テ與レタノデ宮城ヲ通シテゾルゲニ渡シマシタ此ノノートハ世界各國ノ軍装備ニ關スルモノデ吾々ノ目的カラハ不必要ナモノカ解カツタノデゾルゲカラソ聯獨逸、英國等ノモノハ不要ダカラ日本ノ軍備ノコトヲモツト詳シク聞イテ與レト云ハレルト共ニ個人及宮城カラ篠塚ヲ活躍セヨト勵マサレタノデ昭和十年秋日本橋カ京橋附近ノ「ヒリヤ」デ宮城ヲ篠塚ニ引合ハセマシタ篠塚ニ對シテハ宮城ヲ「自分ノ仕事ヲ手傳ツテ與レル人デアメリカ歸リノ畫家デアル」ト紹介シタ上色々飛行機其ノ他軍器ニ付イテ説明ヲ聞キマシタカ其ノ時ノ宮城ノ態度カ不自然デアツタノデ篠塚ハ不審ヲ抱イタ樣子デ其後私ニ「アノ人ニアンナ話ヲシテ良イノデスカ」ト云ヒマシタカラ私ハ「信頼ノ出來ル人デア

ルカラ心配ハイラヌ」ト云ッテ[illegible]キマシタ其ノ後宮城ト共ニ
横町[illegible][illegible][illegible]附近ノ魚料理屋、品川ノ鶏料理屋「三橋」其ノ他
デ三、四回[illegible][illegible]ト會ヒ軍事ニ関スル話ヲ聞キ又昭和十一年中
[illegible][illegible]ヲ通シ群馬縣ノ[illegible][illegible][illegible][illegible]ニ行ッタ時新兵器、鐵道敷設、滿
洲兵備等ノ話ヲ聞キ昭和十二年夏静岡ニ講演ニ行ッタ時モ當
時[illegible]岡ヲ訪問シテ居タ間人カ私ノ宿舎ノ[illegible]前旅館ニ私ヲ訪ネ
テ來タノデ[illegible][illegible]兵器ノ事情ヲ聞キマシタカ其ノ内容ハ只今ハ
憶ヘテ居リマセヌ併シ聞イタ當時ハ良ク憶ヘテ居リマシタカ
ラ其ノ儘ヲ宮城カゾルゲニ傳ヘテ居リマス要スルニ[illegible][illegible]ハ私
ヤ宮城カ蒐集情報ニ利用レタニ過ギナイノデアリマス間人ハ
私ヤ宮城カ左翼的ナ人物デアルコト知ッテ居タト思ヒマスカ
背後ニ外人ヲ含メタ組織ヲ持ッテ居ルコトハ全ク知ラスニ親交
ノアル私ノ依頼デアッタノデ求メラレル儘ニ自己ノ知識ヲ提

供シテ居タモノニ相違アリマセヌ次ニ

海江田久幸

トハ私カ満鐵ニ入ツテカラ初メテ知會セマシタ同人ハ調査部ノ庶務主任格ノ山本勝平ノ下テ働キ時事資料部門ノ事實上ノ責任者テ又私ハ同資料ノ蒐集ニ關與シ顧問格テ此ノ仕事ノ主腦ヲ見テ居タ關係カラ海江田トハ仕事上極メテ密接ナ關係ニアリマシタ同人ノ手許ニハ東京支社ノ情報カ一應集リ之ヲ本社ニ報告スルノテ同人ノ所ニ來テ居ル重要ナ情報ヲ入手スル便宜カアツタ關係テアリマス海江田ハ情報ニ依ツテハ其ノ眞僞ヲ私ニ確メタリ又本社ニ打ツ電報ノ校正ヲ求メタリシタコトモアリ場合ニヨツテハ私ノ方カラ要求シテ必要ナモノヲ出シテ貰ツタリシタコトモアリマシタ私ハ仕事上ノ關係カラ海江田ノ所ニ集マル情報ヲ見ルニ付イテハ何等差支ヘナク見得ト

思ヘハ極メテ自由ニ見ルコトモ出來又自然ニ私ノ所ヘモ各種ノ情報ガ通ハサレテ來テ居ル實狀ニアリマシタ併シ時ニハ私ノ仕事ニ關係ノナイ情報ヲ見セラレタコトモアリマス昨年五月頃瀋江田カ羅ノ編成表ヲ紙ニ交付シタコト又ハ其ノ事例テアリマス要スルニ瀋江田ニ付イテハ特ニ利用シ様ト努力スル慾モ無ク仕事ノ關係上商人ヲ通シテ各種ノ情報ヲ入手シ得タ次第デアリマス

検事訊問調書（三月八日）

被疑者　尾崎秀實

一、問　次ニ被疑者ノ屬スル諜報團体ノ本質及目的任務ニ付キ述ベヨ

答　吾々ノ諜報活動ハゾルゲヲ中心トシタ一團ノ活動デアリマスガ私ノ上海以來ノ經驗判斷カラスレバ此ノ一團ハコミンテルンノ特殊部門タル諜報部門ト稱スヘキモノヽ日本ニ於ケル組織デアルコトガ略々明瞭デアリマシタ其ノ理由ハ上海ニ於ケルスメドレー女史ノ交際カラ此ノグループニ參加スルニ至ツタコト、鬼頭銀一ノ事件ノ調書ヲ入手シテ讀ンデ見ルト同人ガコミンテルンノ命ニ依リ活動シタ旨ヲ明ニセラレテ居タコト吾々ノグループノ各人ノ國籍ガ雜多デアルコト米國共産黨員ナル宮城ガ參加シテ居ルコト等カラ斯

様ニ判断シタノデアリマス其ノ後日本ニ於ケルゾルゲトノ永イ交際ノ結果段々我等ノソ聯防衛ノ意味ノ諜報ガ要求サレテ來ルコトヲ知リマシタノデ前ノ考トハ矛盾スル譯デハアリマセンガ私達ノ蒐集シタ情報ハソ聯政府ニモ直接利用セラレテ居ルノデハナイカトモ感ジテ居リマシタ但シ此ノコトハソ聯防衛ハ國際共産黨トシテハ最大ナ任務デアル點カラ云ツテ私ノ信念トハ聊モ矛盾スルトコロハナカツタノデアリマス

要スルニ吾々ノグループハコミンテルンニ屬スルモノト今日迄考ヘテ來テ居ルノデアリマスガコミンテルンハ現在ノ力關係カラ云ヘバ殆トソ聯共産黨ノ指導下ニ立テ而モソ聯政府ノ中核ヲ爲シテ居ルノハソ聯共産黨デアリ結局三者ハ一体ヲ爲シテ居ル關係ニ立ツト理解シテ居マスノデ吾々ノ

活動ハコミンテルン、ソ聯共産黨及ソ聯政府ノ三者ニ夫々設立テラレルモノト考ヘテ來マシタ

吾々ノ機關ト日本共産黨トノ關係ハ直接ナモノハ何等アリマセヌ私ノ理解デハ吾々ノ所屬スル如キ諜報機關ト各國ノ共産黨トノ關係ハ一應分離セラレ其ノ間ニハ指導上下ノ關係ハナク只横ノ聯繫カ保タレテキル程度ニ過キス組織的ニハ各國ニ散在スル此ノ諜報機關ハモスコーノ中央ニ直屬シテヰルモノト考ヘラレマシタ但シ日本ノ場合ニ於テハ諜組織カ破壞サレテヰル爲横ノ聯繫サヘ行ハレス全クモスコーノ本部トノ關係ノミカ存在シテヰタノテアラウト思ヒマス抑々諜報機關ナルモノハ各國ノ共産黨自体ニ直屬スルモノモアル筈デスカ吾々ノ如キ場合ニ於テハ之トハ趣ヲ異ニシ直接ニモスコー本部ニ屬カヽル機關ト考ヘラレ而モ諜報活

動ヲ容易ニスルト共ニ諜報組織ヲ檢擧カラ防禦スル爲ニ其ノ國ノ共產黨トハ組織的ニ嚴格ニ分離セラレテ居ルモノト解セラレマス此ノ點ハゾルゲカスメドレーノ何レカカラ支那ノ共產黨活動ニ從事スルナト忠告サレタコトニ依ツテモ明テアリマス私モ吾々ノ組織ヲ守ル爲ニハ日本ノ黨活動トハ完全ニ分離スル必要ヲ痛感シテ居リマシタカラ宮城ニ對シテハ前歷者トノ交際ヲ成可ク少クスルヨウ警告ヲ發シ又私カ同志テアル水野ヤ川合ヲ割合ニ重ク用井ナカツタノモ此ノ理由ニ基イテ居タノテアリマス要スルニ吾々ノ機關カ何處ニ所屬スルモノテアルカハ特ニゾルゲニ聞イタコトハアリマセヌカ私ハ從來ノ經驗判斷カラコミンテルンニ屬スルモノト理解シ且ツ具体的ナ吾々ノ諜報活動ノ成果ハコミンテルンヲ初メソ聯共產黨ソ聯政府ニ役立ツモノト考ヘ殊

ニコミユニスト、シテノゾルゲヤ宮城ヲ信頼シテ諜報活動
ニ從事シテ來タ次第デアリマス
ゾルゲノ身分ニ就テハコミンテルンニ屬スル國外ソ聯共産黨
ソ聯政府ノ何レカ又ハ重複シ且夫等ノ特別部門ニ屬スル
モノト理解シテ居マシタカ同人ノ國籍ニ就テハ獨逸籍カソ
聯籍カ二重籍ナラハソ聯共産黨ニ屬シ且ツソ聯政府ノ内務
人民委員部ノ保安部ニ屬シテヰルノデハナイカトモ想像シ
テ居リマシタカ此ノ點ハ單ナル想像ニ過キマセヌ
宮城ハ米國共産黨員デアリマスカ同人ヨリ聞クトコロニ依
ルト此ノ活動ヲスルニ付テ黨員タル身分ヲ拔イテ日本ニ來
タ由デスカラ如何ナル身分ニナツテヰルカ判リ兼ネマスカ
モスコーノ中央ニハ登録サレテヰルニ違ヒナイト考ヘラレ
マス

私モ永イ間ゾルゲト關係シ而モ相當有効ナ活動ヲ爲シ寄與スルトコロカ多クゾルゲヨリ厚イ信頼ヲ受ケテ來タ事情ニ在ツタ上ニ昭和十年各國國鐵道ノ圖解料雜誌「エー・ワン」ヲゾルゲト會ツタ際ゾルゲヨリ「通ノコトハ本國デモ知ツテ居ルヨ」ト云ハレタコトカアリ其ノ後モ私ノ名カモスコーノ本部ニ通ツテ居ルト理解サレルヤウナ言廻シテ話サレタコトカアルノテ私モ本部ノ特殊部門ノ正式メンバートシテ登錄サレテ居ルニ違ヒナイト信シテ居マシタ黨籍ノ問題ニ付テハ考ヘタコトカナイノテ如何樣ニナツテ居ルカ判リマセヌカ事實ハ黨員又ハ夫レニ準スルモノ或ハ夫レ以上カモ知レマセヌ

吾々ノグループノ目的任務ハ特ニゾルゲカラ聞イタ譯テハアリマセヌカ私ノ理解スルトコロテハ廣義ニハコミンテル

ンノ目指ス世界共産主義革命遂行ノ爲日本ニ於ケル革命情勢ノ進展ト之ニ對スル反革命ノ勢力關係ノ現實ヲ正確ニ把握シ得ル積極ノ情報並ニ之ニ關スル正確ナル意見ヲモスコーニ諜報スルコトニアリ狹義ニハ世界共産主義革命遂行上當面最モ重要ニシテ其ノ支柱タルソ聯ヲ日本帝國主義ヨリ防衛スル爲日本ノ國内情勢殊ニ政治、經濟外交軍事等ノ諸情勢ヲ正確且ツ迅速ニ報道シ且ツ意見ヲ申送ツテソ聯防衛ノ資料タラシメルニ在ルノデアリマス從ツテ此ノ目的ノ爲ニハ凡ユル國家ノ秘密事ヲモ探知シナケレバナラナイノデアリマシテ政治外交等ニ關スル國家ノ重大ナ秘密ヲ探リ出スコトハ最モ重要ナ任務デアリ軍事上經濟上ノ秘密ノ探知モ亦之ニ劣ラス重要ナ任務トシテ課セラレテキタモノデアリマス現ニ私ハゾルゲカラ軍事方面ノコトヲ盛ニ聞カレマシタカ其ノ方面ニハ知己モトク又知識モ乏シカツタノテ自分ニ最モ適シタ政治外交方面ノ情報ノ蒐集ニ主力ヲ傾注シ附隨的ニ経済軍事方面ノ諜報ノ探知ニモ努メタ次第テアリマス軍事方面ノコトハ吾々ノグループニ最モ缺ケテ居タ處テゾルゲモ宮城モ此ノ點ニ焦躁ヲ感シテ居タヤウニ見受ケラレマシタ

二、問 被疑者等ノ諜報団体ニ於ケル各人ノ役割ニ付キ述ヘヨ

答 吾々ノ同志ノ役割テアリマスカゾルゲハ此ノ機関ノ中心責任者テ機関員ヲ指揮統制スルト共ニ直接本部ト連絡シ其ノ指令ヲ受ケテ必要トスル情報ヤ意見ヲ申送リ此ノ機関ノ中枢部トシテ活動シテヰタモノテアリマス宮城ノ所謂「デブ公」、ユーゴー人ノ無電技師、私及宮城ハゾルゲノ缺クヘカラサル共働者テアツタノテアリマス曩ニ述ヘタ通リ「デブ公」

ハ無電關係ヲ、ユーゴー人ハ資料ノ撮影關係ヲ夫々擔當シテ居リマシタ、私ハ世界帝國主義ノ最モ重要ナ一環テアリソ聯進攻ノ可能性ヲ確メテ多分ニ包藏スル帝國主義國トシテノ日本ノ政治動向ヲ確實ニ把握スル爲日本ノ政治經濟等ノ現實情勢ヲ迅速且ツ正確ニ探知シテゾルゲニ報告スルト共ニ其ノ判斷ニ必要ナル資料及情報ヲ蒐集シテゾルゲニ提供スルコトヲ其ノ役割トシテ居タノデスカ其ノ他ニ夫レト同等若クハ夫レ以上重要ナコトヽシテ此レ等蒐集資料並諸情勢ヲ綜合判斷スルコトニ依リ自己ノ意見ヲ立テ之ヲゾルゲニ報告シテゾルゲ並ニモスコー本部ヲシテ正確ナル判斷ヲ爲サシメルコトヲ自己ノ任務トシテ居リマシタ特ニ支那事變以來私カ大陸問題ノ專門家デアリ且ツ內閣囑託以後ハ國內政治ノ機微ヲモ摑ミ得ル地位ニアリ又從來ノ私ノ意見判斷ニ殆ト誤リノナカツタコト等カラゾルゲハ私ヲ重視シ重要ナル問題ニ付テハ私ノ意見判斷ヲ求メルコトヲ其ノ例トシテ居リマシタ宮城ハ廣ク各方面ニ手ヲ擴伸シテ私同樣ノ役割ヲ爲スト同時ニ私トゾルゲトノ間ニ於ケル傳達者トシテ私ヨリノ情報ヤ資料ヲゾルゲニ傳ヘルノモソノ役割ノ一ツテシタ

三 問

次ニ諜報團員相互間ノ連絡方法ニ付キ述ヘヨ

答

先ツ私トゾルゲトノ連絡方法ヲ申述ヘマスゾルゲト會フヤウニナツテカラハ主トシテ市内ノ一流、二流ノ日本料理店、西洋料理店、支那料理店ヲ選ンテ會合シマシタ料亭ヲ撰擇スルニ付テハ私ノ名ノ知レテヰル所ヲ避ケ而モ同シ所ヲ繰返シ使用シナイヤウ細心ノ注意ヲ拂ヒマシタ大体私ノ顔ノ通ツテ居ル料亭ヲ選ンデ居ルノデ私カ豫約シテ部屋ヲ取リ連絡場所ニ當テ、居リマシタカ西洋料理店ノ内日比谷ノ「リッツ」滿鐵ビルノ「アジア」ノ如キ所ヲ選ンダ場合ハ豫約セズ待合室デ待合ハセ二人ガ揃ツテカラ座席ヲ注文シテ用件ヲ果スヤリ方ヲシテ居リマシタ然ルニ近來外諜防止カ喧傳サレルニ伴ヒ外ガ外國人ト會フコトハ他人ノ目ニ付キ易クモナリ女中等カラゾルゲノ身許ヲ尋ネラレタリスル場合モ一再ニ止ラナカツタハカリデナク待合等デハ外國人ト會ツテキル日本人ガアルト警察ニ屆ケルコトニモナツタ様デ外ガゾルゲト會フコトニ危險ヲ感シマシタカラゾルゲニ相談シタ結果昭和十六年一月頃カラハゾルゲ宅デ日ガ暮レテカラ連絡スルコトニナリ爾來夜間ゾルゲ宅デ連絡ヲ續ケテ來マシタ尤モ其ノ間滿鐵ビル「アジア」デ二、三回會ツタコトモアリマスガ夫レハゾルゲ宅ノミヲ頻繁ニ使用ス

ルノハ却テ危險ト考ヘタカラデアリマス
連絡スル日時ハ前ノ會見ノ時機ノ決定シ之ヲ勵行シテ居リ
マシタ
グンター・シユタイントノ連絡ニ付テハ既ニ述ヘタ通リデア
リマス
宮城トノ連絡ハ最初ノ間ハ市内ノ二、三流ノ料理屋デ行ッ
テ居リマシタ此ノ場合ハ大体私カ部屋ヲ豫約シテ置キ連絡
場所ニ當テヽ居リマス宮城トノ連絡ハゾルゲノ場合ノ如ク
同シ所ヲ避ケルトイフ程愼重ニハ致シマセヌデシタ
其ノ後斯樣ナ連絡方法ハ費用モ嵩ミ且ツ不便デモアルノデ
私ノ家ニ不自然ニナラヌヨウ出入サスコトヲ考ヘテ居タ處
幸ヒ宮城カ畫家デアッタ上ニ私ノ妻カ長女ニ畫ヲ習ハセ度
イト言ヒ出シタノデ其ノ機會ヲ利用シゾルゲニモ相談シタ

上昭和十五年始頃カラ宮城ヲ長安勝子ノ畫ノ先生トイフコトニシテ私方ニ出入サセ日曜日ノ朝來テ貰ヒ畫ノ教授ノ前後ノ時間ヲ利用シ用件ヲ果シテ居リマシタ斯樣ナ次第デ宮城ハ頻繁ニ私方ヘ出入シ從ツテ私宅ヲ訪問シタ人デ宮城ト顔ヲ合ハセテ居ル人モ相當アリマスカ勝子ノ畫ノ先生ト云フコトニシテアツタノデ何等不審ハ持タレズ濟ンデ居タノデアリマス

水野、川合等ノ場合ハ特ニ連絡方法ヲ決メル程ノ必要カナク用事カアレハ私ノ方カラ連絡シテ呼寄セ又先方カラ私宅又ハ私ノ勤務先ヲ訪問シテ來ルナテ決レテ事カ足リテ居タノデアリマス

四問　次ニ被疑者等ノ諜報關係ノ資金關係ニ付キ述ヘヨ

答　資金關係ニ付テハゾルゲカ取扱ツテ居タコトデ私カラ聞イ

タコトモナイノデ如何樣ニナツテ居ルカ私ニハ判リ兼ネマス、ソルゲハ私ニ對シ種々必要費用ハ遠慮セズニ云ツテ呉レト申シテ居リマシタカ私トシテハ出來ル限リ自分ノ金デ賄ツテ居リマシタ併シ相當ノ費用ガ要ルノデ時々百圓乃至百五十圓位ヲ何ノ費用トモ云ハズニ貰ツテ居リマシタカ昨年中ハ非常ニ金ガ要ツタノデ相當頻繁ニ支給ヲ受ケ月平均百圓乃至百五十圓位ヲ受ケテ居リマス是等ノ金ハ[illegible]交際費ノ補助ノ心算デシタカラ會計報告等ハ致シテ居リマセ

又

私ハ[illegible]川合及水野兩名ニ生活費ヲ支給シ[illegible]ニモ加發學資費等トシテ數百圓渡シテ居リマスカ是等ハ總テ私ノ金ヲ以テシタノデアリマス

但シ時々ニハソルゲノ方デ心配シ其ノ金額ヲ支給シテ呉レタ

コトモアリマス特ニ昭和十一年六月頃[illegible]ニ事業費五百圓
ヲ提供シタトキゾルゲカ氣ノ毒ダト云ツテ後カラ其ノ半額
ヲ出シテ與レタコトヲ記憶シテ居リマス

問　昭和九年來ゾルゲトノ連絡回復後ニ於ケル情報入手先ニ付
キ述ヘヨ

答　私ハ宮城與德ノ仲介ニ依リ昭和九年來ゾルゲトノ連絡回復
シ爾來檢擧セラル、迄ノ間同人ニ政治外交經濟軍事其ノ他
各般ノ情報ヲ提供スルト共ニ私ノ政治的見解見透等ヲ述ヘ
テ來タノテアリマスカ是等各種ノ情報ノ入手先ハ大阪朝日
新聞社、東京朝日新聞社、內閣囑託、滿鐵囑託ノ各時代ニ
依リ又私ノ社會的地位ノ向上ニ依リ其ノ範圍ニ於テモ亦其
ノ質及量ニ於テモ多少ノ變遷ハアルノテアリマスケレトモ
概括的ニハ次ノ通リ分ケ得ラレルト思ヒマス

部テ

(一) 新聞社關係

(二) 昭和研究會關係

(三) 内閣關係

(四) 満鐵關係

(五) 野村合名會社調査部關係

(六) 三井物産情報部關係

(七) 會合、懇談會、集會其ノ他個人的關係

等デアリマス

問 新聞社關係ニ付キ述ヘヨ

答 大阪朝日新聞社時代ニハ私ハ編輯局ノ外報部ニ勤務シテ居マシタカ他ノ支那部、通信部、經濟部等ニハ友人カ多數居タ關係デ是等ノ友人ヲ通シテ新聞社内ヲ是等ノ部門ニ集ル

情報ヲモ總メテ容易ニ入手スルコトカ出來マシタ其ノ他地方及海外ノ支局員ノ本社ニ齎ラス情報ヤ大陸關係者ヲ新聞社ヲ來訪スル人々ヨリノ情報ニモ相當參考トナルモノカ多カツタト思ヒマス

東京朝日新聞社ニ轉シテカラハ同社ノ東亞問題調査會ノ一員テアリマシタカ同調査會ハ滿洲事變ノ記念事業トシテ昭和十年九月十八日創設サレ其ノ事業ハ「廣ク東亞關係事項ヲ調査シテ新聞ノ基本的活動ニ資シ兼ネテ國策ニ協力スルコト」ヲ目的トシタモノテ其ノ最初ノ顔觸レハ

會長　緒方竹虎

幹事　大西齋

太田宇之助

武内文彬

蘇治隆一

益田豐彦

私

サ此ノ内ニハ社ノ論説委員ヲ兼ネテ居ルモノモアリ論説委員室ト調査會室トハ主幹室ヲ隔テヽ隣合ヒ常ニ往來カアリ而モ論説委員室ト編輯室トノ往來ハ極メテ頻繁テ兩室間ニハ常ニ社內全体ノ情報カ交流シテ居ル關係テ調査會員タル私ハ論説委員室及編輯室ニ出入スルコトニ依ツテ何時ニテモ社ニ集ル情報ヲ容易ニ入手シ得ル地位ニ在リマシタ

其ノ他新聞同業者等ヨリ情報ヲ得ル機會モ相當アリマシタカ其ノ主ナルモノハ

外務省企劃部主催ノ

支那關係新聞關係者ノ會合、新聞記者ノ情報交換ノ會合カアリマス前者ハ新聞記者中支那問題ニ通ジテ居ル者ヨリ支那事變ニ關スル意見ヲ徴スル目的ヲ昭和十二年夏頃外務省企劃部長米澤氏カ中心トナリ東亞同文會ノ宇治田直義ノ肝煎リテ出來タモノテ其ノ顔觸レハ

外務省側

政務次官　松本忠雄

米澤部長

外一名

新聞記者側

外交時報社　宇治田直義

東京日々新聞社東亞課長　吉岡文六

其ノ後任者　田中香苗

私

報知新聞社論說員　某

讀賣新聞社　某

ナ月一回宛丸ノ内「ユー・ワンレ」等ニ會合シテ居リマシタ

私ハ此ノ會合ノ席上デモ宇治田等ヨリ相當良イ情報ヲ入手

出來マシタ、後藤ハ昭和十二、三年頃外交時報社ノ星野ノ

肝煎リデ出來其ノ顔觸レハ

黒野

外交協會主事　稲原勝治

東日經濟論說員　鈴木某

讀賣新聞社　花見某

都新聞社　伏見武夫

監

時テ私モ通知ヲ受ケテ丸ノ内料亭「常盤」ノ會合ニ二回位出席シタコトカアリマス其ノ席上テモ多少ノ情報ヲ取リ得タト記憶シテ居リマス

要スルニ私ハ新聞關係者ニ知合カ多ク新ニ關レ此ノ方面カラ雑多ナ情報ヲ入手シ諜報活動ニ資シテ居タノテアリマス

七問　昭和研究會關係ニ付キ述ヘヨ

答　昭和研究會ハ昭和十一年頃　後藤隆之助カ個人的ニ創設シタモノテアリマスカ同會ニハ創設當時ヨリ

蠟山政道

カ關係シ同氏ト友人關係ニアル

朝日新聞論説委員

佐々弘雄

セ關係ヲ持ツテヰマシタ
當時支那問題ノ重要性ハ愈々加ハリ昭和研究會ニモ支那問題ノ研究部會ヲ創設シ之ニ支那問題ノ權威者ヲ參加セシムルコト、ナリ佐々ト友人關係ニアツタ私ハ同氏ノ紹介ニ依リ昭和十二年四月頃昭和研究會ニ參加シマシタ私カ參加シタ當時ノ支那問題研究部會ノ責任者ハ風見章氏デアリマシタ同氏トハ既ニ一度會ツタコトモアリ此ノ部會ニ參加スルコトニナツテ極メテ親シクナリマシタ間モナク同年六月近衞内閣ノ成立ト同時ニ風見氏ハ内閣書記官長ニ就任シタ關係デ同研究部會ノ責任者ノ地位ヲ去リ其ノ後ハ私カ代ツテ支那問題研究部會ノ責任者トナリ約一年間ハ其ノ儘續キ月一回會合ヲ開イテ研究ヲシテ居リマシタカ其ノ後同部會ハ東亜政治部會ト改稱サレ次テ民族部會トナリ昭和十五年九月ノ解散ニ迄及ヒマシタ
植物ノ支那部會ノ顔觸レハ

風見　章
田中　香苗
中村　常三
私
其ノ他四、五名

東亜政治部會トナツテカラハ
責任者　私
岡崎　三郎
平　貞藏

司法省

小林幾次郎
和田耕作
大西齋
土井章
樋口弘
堀江邑一　事務局員
大山岩雄　同
溝口岩夫　同

民族部會トナツテカラハ

責任者
私
岡崎三郎
橘樸
和田耕作

平　貞藏
原口　榮
平館　利夫
山本　二三丸
川合　儀

事務局員

毎デアリマシタ
又昭和研究會ニハ外交部會カアリ其ノ責任者ハ初メハ矢部貞治後後ハ外務省ノ湯川盛夫トナリマシタカ會ノ顔觸レハ

矢部　貞治
湯川　盛夫
伊藤　述史
永井元駐獨大使
內田　藤雄

佐々弘雄
益田豊彦
牛場信彦
牛場友彦

等テ私モ昭和十五年春頃カラ昭和十五年昭和研究會解散迄
ノ期間其ノ委員トナツテ居リマシタ
尙昭和研究會ニハ全部デ十二ノ部會カアリ私ハ二部會ニ關
係シテキタノデスカ各部ノ連絡ヲ圖ル爲昭和十五年
八月頃各部會ノ連絡部會カ設ケラレ私モ民族部會ノ責任者
トシテ每月一回開カレル此ノ會合ニ出席シテ居リマシタ
私ハ昭和研究會ニ於ケル此等ノ部會ノ席上テモ各種ノ情報
ヲ入手スルコトヲ得タノデアリマスカ其ノ情報ヲ具體的ニ
述ヘルニハ餘リニ時ヲ經テモ居リ又種々雜多ノコトヲ聞イ

テ居ルノテ記憶カ明瞭テナク只今テハ判然ト申シ兼ネマス

八、問　次ニ内閣關係ニ付キ述ヘヨ

答　此ノ關係ニ於テハ内閣嘱託關係ノ外牛場、岸秘書官ヲ中心トスル朝飯會、富田書記官長ヲ中心トスル朝飯會並ニ近衛文麿公、風見章、犬養健、西園寺公一等トノ個人的關係等ヲ併セテ申上ゲマス

一、先ツ内閣嘱託關係ニ付キ申上ゲマス私ハ昭和十三年七月ヨリ昭和十四年一月第一次近衛内閣ノ總辭職迄ノ間内閣嘱託ヲシテ居リマシタ昭和十二年七月七日蘆溝橋事件カ起キタ時私ハ此ノ事件ハ日本ノ態度如何ニヨリ世界的動亂ニ迄發展スル可能性カアルト考ヘ同月十一日重大閣議ノ開カレルコトヲ聞イタ時ニハ事態大ト思ヒ早速朝日新聞社ノ自動車ヲ首相官邸ニ馳リ付ケ風見書記官長ニ會ヒ説明シマシタカ風見書記官長ニハ私ノ言ハントシタ意味

カ國シナカツタラシク「スツカリ決心ハ出來テヰルカラ心配ハ要ラヌ」ト云ヒマスノデ已ムヲ得ズ牛場秘書官ニ會ヒ自分ノ懸念スル點ヲ述ヘテ忠告シマシタ此ノコトカ機緣トナツタモノト思ヒマスカ其ノ後一、二度風見書記官長ヨリ招待ヲ受ケタリシ又昭和十二年暮上海旅行ヲシタ時ニハ手紙ヲ二度程風見書記官長ニ現地ニ來テノ感想ヲ申送ツタリシマシタ昭和十三年六月頃官邸ニ牛場、岸兩秘書官ヲ訪ネテ行ツタ時北京ニ計劃中ノ外務省ノ經濟調査機關入リヲ勸メラレテ居ル話ヲシタ處兩名ヲ通シテ此ノコトカ風見書記官長ノ耳ニ入ツタラシク間モナク官邸ニ呼ハレテ同書記官長ヨリ今ハ支那問題カ萬事中心デアルカラ內閣ニ入ツテ手傳ツテ吳レト言ヘレ私ハ之ヲ承諾シテ內閣ノ囑託ニナツタノデアリマス辭令ハ「調查事

務ヲ囑託スルトアツタト思ヒマスカ仕事ノ内容ハ意見書
擔當長ノ補助者トシテモ云フヘキモノテ最初カラ之ト云ツ
ヲ決ツタ仕事ハナク其ノ時々求メラルヽ儘支那事變處理
等ニ關スル自分ノ意見ヲ具申シテ來マシタ其ノ主ナルモノ
ハ

(イ)支那事變處理ニ關スル意見

(ロ)支那事變處理ノ一方式トシテノ謀略工作ノ可能性ニ付
テノ意見

(ハ)支那事變遂行ノ經過ニ付テノ謀略意見

(ニ)汪兆銘工作ニ就テノ意見

(ホ)國民再組織ノ一私案

等テアリマス私ハ斯樣ナ重要ナ仕事ニ携ハリマシタカ其ノ
間ニ於テハ囑託タル地位ヲ利用シ私ノ政治的主張ヲ實現シ

ヨウトシタコトハ全クアリマセヌ其ノ理由ハ私トシテハ僅ノ数個ノ会議ハ明テシタカラ之ニ関スル具体的意見ヲ述ヘテ居タノデアツテ私ノ政治的意図ノ実現トイフコトヨリモ寧ロ此ノ地位ヲ利用シ日本政治ノ現實ノ動向ヲ正確ニ把握シ又確實ナ情報ヲ入手シ得ルコトヲ此ノ上ナキ便宜トシテキタ譯デアリマス従テ内閣ニ於テ入手シ得タ情報ヲゾルゲニ提報シテ居タコトハ勿論デアリマス内閣嘱託時代ハ毎日首相官邸ニ出勤シ秘書官室下ノ地階ノ一室デ仕事ヲスル外秘書官室ヤ書記官長室ニハ常ニ自由ニ出入シ書記官長秘書官等カラ内閣ニ来テヰル文書中私ノ仕事上必要トスルモノヲ見セラレ或ハ私ノ方カラ申出テ必要ナモノヲ見セテ貰フコトモアリ又此等ノ人達ノ話ヲ聞ク機會モ多カツタ譯デアリマシテ私ハ之等ニ依ツテ現實ノ政治カ如何ニ動キツヽアル

カツ確實ニ知ルコトカ出來マシタ左樣ナ譯テ内閣嘱託タル地位ニアツタ關係カラ此ノ重大ナル轉換期ニ於ケル國ノ政治ノ重要ナ動向ヲ知リ得タト同時ニ其ノ時々ノ政治情報等モ容易ニ察知シ得タノテアリマス此等情報ハ勿論ゾルゲニ報告スルト共ニ政治動向ニ關スル私ノ意見モ述ヘテ居ルノテアリマス

二、次ニ牛場、岸兩秘書官ヲ中心トスル朝飯會ニ付申上ケマス

第一次近衛内閣ニ首相秘書官トナツタ牛場友彦ハ昭和九年頃近衛公カ渡米シタ時蠟山政道等ト共ニ随行シタ關係テ近衛公ト親シクナリ第一次近衛内閣ノ成立ニ際シテ首相秘書ニ起用サレタモノテアリ岸道三ハ牛場秘書官ト高等學校時代ノ親友テアツタトコロカラ當時満鐵ニ居タノ

ヲ呼戻サレ皆相當權當ニ揃ヘラレタノデアリマス
私ハ牛場トハ高等學校大學ヲ通ジテノ同級生デ昭和十一年加州ヨセミテニ於テ開催サレタ太平洋問題調査會第六回大會ニハ同會ノ幹部デアツタ牛場ノ推薦シニ依リ私モ誘ハレテ日本代表ノ一人トシテ出席シマシタ近衞内閣成立スルニ及ンデ間モナイ頃牛場[illegible][illegible]名ハ新聞記者評論家學者等デ政治經濟ニ明イ者ヲ物色シ此等ノ人達ヨリ意見ヤ情報ヲ得ル爲ニ時々

蠟山政道
平貞藏
佐々弘雄
笠信太郎
渡邊佐平
西園寺公一

私

待ツタ夕食ニ招待シ[illegible]ヲ交ハシテ語リマシタ其ノ席ニハ風見書記官長モ出席シタコトモアリマシタ

蠟山政道ハ以前ヨリ近衛公ノブレーンノ一人トシテ知ラシテ居リ平貞蔵ハ満鉄大連本社テ岸ト同僚ノ關柄ニ在ツテ親シイ仲テアリ佐々及笠ハ朝日新聞社ニ於ケル私ノ同僚テアツタ上ニ佐々ハ蠟山、平トハ舊友ノ關柄ニアリ又渡邊ハ岸ト高等學校以來ノ友人關係ニアリ西園寺ハ牛場トオツクスフォード大學以來ノ友人テ私トハ特ニ親シイ關係ニアリマシタ此ノ顔觸レハ牛場岸及私カ其ノ周圍カラ選ヒ出シタ人達テ何レモ實際政治ニ強イ關心ヲ持ツテヰル者ノミテアリマス私カ内閣嘱託ニナツタ頃私、岸、牛場テ相談シタ結果比較的時間ノ融通ノ付ク朝八時頃ニ右ノ人達ニ集ツテ貰ヒ政治ニ付テノ消息ヤ意見ヲ開陳シ内閣書記官ヲ通シテ近衛内閣ヲ扶ケテ行クコトニナリ毎月二回位宛会合シテ朝食ヲ共ニシナカラ政治外交経済ヲ初メ色々ナ時事問題ニ付キ相互ニ意見ノ交換ヲ行ツテ来マシタ昭和十四年初頭カラハ毎月水曜日ノ朝集合スルコトニナリ爾来検挙ノ一ケ月半前ニ及ヒマシタカ其ノ頃カラハ時局カ重大化シタ関係モアリ以後暫ク中止ノ状態トナツテ居タノテアリマス

此ノ朝飯会ハ

第一次近衛内閣時代ハ

　牛場秘書官邸テ数回

第一次近衛内閣総辞職後ノ三ケ月間ハ

　万平ホテルテ二、三回

昭和十四年四月頃以降昭和十五年十一月頃迄ハ

駿河臺西園寺公爵邸テ數十回

其ノ後ハ

　首相官邸日本間テ十數回開イテ居リマス

尚昭和十五年初頃カラハ牛場邸山西園寺私邸ト親交ノアツタ

　同盟編輯局長　　松本重治

モ參加シ又　　犬養健

モ前後ヲ通シ十回位　　松方三郎

ハ二回位出席シテ居リマス

朝飯會ハ相當長期間ニ亘ル會合テハアリ其ノメンバーニハ

近衛公ノ側近者テアル者ハ牛場、西園寺、松本等カ居リ又牛場、西園寺、松本、犬養等ノ如ク外交ニ關係ヲ持ツモノカアツタノデ此等ノ人達ノ話ハ國際會合ノ雰圍氣、謂ス情報ノ類ヲ等カラ日本ノ政治外交等ニ關スル價値ノ多イ情報ヲ入手シ得タノデアリマシテ此ノ會合ハ私ノ諜報活動ノ上ニ相當ノ成果ヲ擧ゲサセテ來タモノト謂フコトカ出來マス

其次ニ富田健治ヲ中心トスル朝飯會ニ付キ申上ゲマス

第二次近衛内閣ノ成立直後ノ昭和十五年八月頃カラ書記官長官邸デ朝飯會ヲ開クヤウニナリマシタ

顔觸レハ

富田　書記官長

幹事役　帆足　計

和田　耕作

犬養　健

笠　信太郎

松本重治

私

内閣嘱託　岸本　藏

同　中村　葉

興亜院嘱託　鶴田光一

テ不定期ニ幹事ノ通知ニ依リ會合シテ居リマシタ會合ノ目的トスルトコロハ富田書記官長カ大陸問題政治経済問題等ニ明イ人達ト懇談シテ色々ナ情況ヲ聴取シヨウトイフニ在ツタト思ヒマス此ノ會合ハ同年十月位ヲ自然解消ニナリマシタ私モ通知ヲ受ケテ前後三回位出席シテ居リマス此ノ會合ノ席上テモ何等カ情報ヲ得テ居ルト思ヒマスカ只今ハ記憶ニアリマセヌ此ノ頃ノ朝飯會ハ[illegible]上[illegible]程度思テハアリマセヌノデ將來ノ陳述ニ於テハ此ノ朝飯

會ノ協會ハ特ニ富田朝鮮會トシテ申上ケ年額若干名ヲ中心トスル新假會ヲ單ニ朝鮮會トシテ申上クルコトニ致シマス

四、次ニ西園寺公一ニ付キ申述ヘマス

西園寺公一ハオツクスフオード大學ノ卒業デ昭和九年頃外務省ノ囑託ヲシタコトカアリ昭和十一年太平洋問題調査會ノ事務局員トナルニ及ンデ外務省ヲ辭メ同調査會ノ第六回大會ニ出席歸朝後ハ「グラフイツク」「世界年鑑」等ヲ發行シテ居リマシタ近衞公トノ關ハ先代トノ關係デ親シク昭和十三年夏始ツタ汪兆銘工作ニハ最初カラ犬養健松本重治ト共ニ關係シ熱心ニ此ノ工作ニ努力シ其ノ結果近衞公トハ政治的ニ一層緊密トナリマシタ又西園寺ハ當外務大臣松岡洋右トハ父ノ關係ノ關係モアリ松岡氏カ昭和十五年七月外務大臣ニ就任後ハ請ハレテ外務省ノ囑

匪トナリマシタ私ハ昭和十一年七月太平洋問題調査會第六回大會ニ出席ノ途次秩父丸デ船室ヲ同シクシタ關係デ知合ヒ加州ヨセミテ滞在二週間及歸途ヲ同人ト起居ヲ共ニシタ爲メ親シクナリ私ノ朝日新聞社時代ニハ殆ド毎日ノヤウニ訪問ヲ受ケ私モ公邸ニ出入シ同人モ屢々私ノ家ヲ訪問スルトイフ状況ニアリ又昭和十一年西園寺ガ臨時「グラフイツク」ヲ發行スルヤウニナツテカラハ私モ之ニ協力シ屢々寄稿シテ居リマシタ左樣ナ次第デ西園寺ハ私ニ對シテ非常ナ信頼ヲ寄ケ親友トシテ取扱ヒ秘密ニ屬スルコトデモ私ニ對シテハ何等警戒セズ打明ケル風デシタカラ同人ノ政治的地位ガ高マルニ連レ私ハ同人カラ重要ナ情報ヲ入手シ得タ次第デアリマス

其次ニ犬養健ニ付キ申述ヘマス

犬養ハ故犬養毅ノ長男デ現在衆議院議員ノ地位ニ在リ南京新國民政府ノ顧問ヲ致シテ居リマス同人ト私トノ關係ハ昭和四年六月南京ニ於テ擧行サレタ孫文葬典ニ父毅ト共ニ參列シタ際當時私モ上海ニ居タノデ知合ヒ其ノ後ハ會フ機會モアリマセヌデシタガ西園寺ト犬養カ親友ノ間柄ニアツタ關係デ支那事變勃發ノ少シ前頃カラ私ト西園寺ノ關係カ深クナルニ連レ私ト犬養トノ交際モ頻繁トナリ始メ殊ニ犬養ハ父親同樣支那問題ニ異常ナ關心ヲ持ツテ居リ支那事變以後ハ支那問題ノ專門家デアル私ニ對シテ種々意見ヲ求メ相談スルトイフ風デ私ト同人トノ關係ハ極メテ親シクナツテ行キマシタ汪兆銘工作カ始ツテカラハ犬養ハ當初カラ之ニ關係シ爾來支那問題ニ終始シテ來タノデアリマス私ハ昭和十三年十二月犬養ト共ニ風見書記官長ノ依頼ニ依リ山王下「山王ビル」内ニ支那研究

職ヲ罷ケマシタカ昭和十五年初カラハ風見氏ニ代ツテ犬養カ後継者トナリ両人ヨリ毎月二百圓宛補助ノ支給ヲ受ケテ来マシタ犬養ハ昭和十五年初頃カラハ殆ド南京上海ニ居リ時々上京シテ来マスカ其ノ時ハ私ハ屡々同人ト會ヒ私ノ方カラハ國内情勢ヲ犬養カラハ大陸ノ情勢殊ニ南京政府ノ動靜南京上海ノ情勢等ヲ主トシテ意見ノ交換ヲ行ツテ居リマス犬養ハ私ヲ信頼スルニ足ル友人トシテ取扱ヒ殊ニ支那問題ニ關シテハ私ヲ良イ相談相手トシテ種々意見ヲ求メテ居タノテ、アリマス斯様ナ特別ノ關係ニアリマシタノテ私ハ犬養カラ大陸方面ノ情勢ヲ可ナリ得テ居ルノテスカ断片的ナ話カ多イ爲メ只今テハ其ノ内容ハ具体的ニハ殆ド記憶シテ居リマセヌ

答 次ニ風見章氏トノ關係ニ付キ申上ケマス

司法省

私ガ風見章氏ト親シクナッタノハ既ニ述ヘタ通リ昭和研究會ノ支那部會ヲ通シテヾアリマスガ第一次近衛内閣ニハ私ハ同氏ノ推薦ニ依リ囑託トナリ囑託ヲ辭シタ後モ屡々招致サレテ懇談シ又私ガ斡旋シテ月二回位ノ割合テ風見氏ヲ中心トシテ朝飯ヲ食ハス間其ノ時々ニ應シ適當ナ人ヲ集メテ風見氏ノ懇談ノ會ヲ開イテ居リマシタ左様ナ關係カラ第三者カラハ私ハ風見氏ノ幕僚ノ如ク見ラレテ居タ事ハ私モ感シテ居リマシタ風見氏ハ政治ニ對スル天才的ナ感ノヨサヲ持ツテ居リマスガ其ノ事ハ殆ド口テハ言ハス默ミテ偉テ實ヲトイフヤウナ行方テ鍛テ此ノ人ノ眞意ヲ摑ム爲ニハ同氏ノ平生ノ遣方ナリ話シ方ナリヲ理解シナケレハナラナイノテアリマスガ私ハ永イ間ノ接觸テ同氏ノ大体ナ意見ノ方向ハ其ノ言動ノ端々ヤ言葉ノ調カラ

ヲモ之ヲ判斷シ得ル迄ニ至ツテ居リマシタゾルゲハ屢々大キナ問題ニ付キ尾崎氏ノ意見ヲ私ニ訊キテ居リマシタカ其ノ際ニハ私ハ直接ニ同氏ノ意見ハ云々デアルト答ヘテ居リマスカ夫レハ右ノヤウナ事情ニ在リゾルゲヨリ聞カレタ場合尾崎氏ノ意見カ斯キ趣旨ニ想像シ得タカラデアリマス

例ヘハ

(1) 新體制工作ノ最初ノ頃尾崎氏ハ此ノ工作ニハ余リ熱心デナカツタトイフコト

(2) 國民再組織問題ハ尾崎氏カ最モ熱心ニ力瘤ヲ入レテヰル問題デ此ノ運動ヲ以テ近衛公ノ政治的地盤ヲ打樹テヨウトシテヰルコト

(3) 尾崎氏ハ第二次近衛内閣當時カラ政治的必要ニヨリ英

關紆興ヲ當面ノスローガントスヘキテアルトシテ居タコト

(ホ)最近同氏ノ關心ハ議會勢力ノ糾合ニ重點カ置カレテ居ルコトトイフヤウナコトヲゾルゲニ聞カサレタ[illegible]モタト記憶シテ居リマス之ニ依ツテモ判ル通リ風見氏ハ種ノテ火鉢組テ翼賛運動ニハ興味カ少ク國内政治ニ關心ノ重點カ置カレテ居ルコトニ特徴ヲ見ルコトカ出來マス從テ私ハ風見氏ヨリ直接情報ラシイモノヲ入手シタコトハ稀ノテアツタノテアリマシテ僅ニテ居ルノハ僅ニ

(ヘ)昭和十六年三月頃松岡外相渡歐ノ直前風見氏ハ松岡外相ニ宛テ手紙ヲ自分ハ渡歐ニハ反對テアルト申送ツタトイフコト

二、昨年夏ノ動員ハ五百萬動員デアルコト
師位ノモノデアリマス此ノ二ツノ情報ハ風見氏ノ意見ト
シテゾルゲニ傳ヘテ居リマス尤モ五百萬動員ト云フノハ
其ノ後同氏ノ説明ニ依リ壯丁數ヨリ産業部門ニ必要ナ數
ヲ差引イタ數字デ正確ナ動員數デハナカツタコトガ判リ
マシタ

七、私ト近衞文麿公トノ關係ハ昭和十一年頃牛場友彦ノ紹
介ニ依リ星ガ岡茶寮デ牛場、佐々、岸、蠟山等ト一緒ニ
公ヲ圍ンデ集ツタ時ニ始マリ其ノ後昭和十三年七月近衞
内閣ノ囑託トナルニ及ンデ官邸ニ於テ御眼ニ掛ル機會モ
多クナツテ來マシタガ何レモ挨拶ヲスル程度ヲ離レタ話
ヲスル機會ハ殆トアリマセヌデシタ内閣囑託當時近衞公
ト直接話ヲシタノハ當時日本國ヲ國民再組織ニ付キ私ノ

意見ヲ述ヘタ時ト其頃ノゴルフリンク附近ノ公ノ知人ノ別莊ヲ訪問ニカヽツタ時位デ內閣辭職後ニ於テハ昭和十四年四月頃原田氏等ト共ニ公ノ御伴ヲシテ[illegible]下ニ旅行シタ時、同年秋輕井澤ヲ訪問ノ連中ト一緒ニ公ヲ圍ンテ談シタ時昭和十五年春木挽町ノ待合ヘ某名ヲ以テ松本重治等ト共ニ公ノ招待ヲ受ケタ時昨年二月荻窪ノ私邸ヲ牛場外三名ト公ヲ圍ンテ懇談シタ時同年三月鎌倉ノ別莊ヲ松本重治外三名ト訪問ニ行ツタ時位デアリマス斯樣ナ機會近衛公ハ積極的ナ意見ヲ述ヘルコトハ殆ト無ク只僅ノ人ノ意見ヲ聽イテ居リ其ノ間ニ時々質問ヲサレル位デアリマシタ併シ乍ラ私ハ其ノ場ノ空氣ト發セラレル質問ノ具合等ヨリシテ近衛公ノ意向ヲ察知シ得タ場合モアッタノデ斯樣ナ時ニハ其ノ後ノゾルゲトノ連絡ノ際近衛公ノ意見トシテ報告シテ居リマス公カ直接聞イタコトヲゾルゲニ報告シテキルノハ昭和十一年春頃ケ隣莱築テノ會合ノ際公カ平沼男ヲ非常ニ高ク評價シ重臣ハ現狀維持的デアルカ唯一人平沼男丈ケハ革新的デアルト言ハレタノデ其ノ儘ゾルゲニ近衛公ト平沼男トハ密接ナ關係ニアルト傳ヘ又昭和十三年秋私カ國民再組織ニ付キ意見ヲ述ヘタ時公ハ「未ダ國民ノ理解カ足ラズ機カ熟シテキナイ既成政黨ヲ打ツテ一丸トスルコトナラハ明日デモ出來ル」ト言ハレタノデ夫レニ依ツテ近衛公カ既成會派ヲ離ケ新シイ政治組織ノ生レ出ルコトヲ待望サレテヰルコトカ判リマシタカラ其ノ公ノ意向ヲゾルゲニ傳ヘテ居リマス 其ノ他私ノ斷定シタコトハ近衛公ハ

(一)非常ニソ聯ヲ嫌ヒテアルコト

(二)交渉事態ヲ早ク解決シヨウトセテ焦ツテ居ラレルコト

(三)日米交渉ヲ何トカ纏メヨウト眞劍ニ考ヘテ居ラレルコト

等デ此等ヲ公ノ意向トシテゾルゲニ傳ヘテ居リマス

斯ル私ノ斷定ハ公トノ直接ノ話合ヒ、近衞公側近者ヲ通シテノ公ノ意向ノ　廉私ノ經驗ニ基ク公ヲ中心トシテノ客觀情勢ノ判斷等ニ基イテ居ルノデアリマス

九問　次ニ滿鐵關係ニ付キ述ヘヨ

答　滿鐵ハ日本ノ大陸發展ノ最大國策會社デアリ尙ソ聯ノ極東ト地域的ニ接壤スル滿洲ノ開發ヲ目的トスルトコロニ吾々ニトツテハ大ニ意義カアリ殊ニ古イ歷史ト尨大ナ組織ヲ持ツタ調査部ハ豐富ナ資料ト新ナル情報ニ滿チテ居リマスノテ此等情報資料ハ吾々ニトツテ極メテ價値高イモノテアルコト勿論テアリマス滿鐵ハ元來其ノ性質上關東軍ノ監督下ニ置カレ調査部ニ於ケル調査計畫並ニ其ノ成果ハ關東軍ニ報告スルバカリテナク關東軍カラモ種々ノ調査ヲ依囑サレ又軍ノ作戰ニ關聯スル命令ヲモ受ケテ居ルノテアリマス斯ル關係カラ私ハ滿鐵及滿鐵關係者ヲ通シ政治外交經濟等ノ諸情報諸資料ヲ多量ニ入手シ得タバカリテナク屢々關東軍ノ動向延イテハ日本軍部ノ動向ノ一半ヲモ察知シ得タノテア

リマス私ハ昭和十四年六月一日附ヲ以テ滿鐵ノ囑託トナリマシタ辭令ハ本社調査部囑託東京支社勤務デ形式的ニハ關ク滿鐵本社ノ調査部ノ業務計畫ニ參加シ自ラ其ノ一部ヲ擔當スルコトニアリマシタカ現實ニハ東京支社ノ調査室ノ囑託室ニ席ヲ置キ滿鐵本社ノ調査部ノ仕事デアル

支那抗戰力測定會議

國際情勢ノ研究會議

ノ二ツニ關係ヲ持チ尚重要ナ仕事トシテ調査室內ノ時事資料部門ニ屬シテ時事資料蒐集ノ事務ニ任シテ居リマシタ時事資料部門トイフノハ政治經濟等ノ大キナ動向ヲ把握シ得ルヤウナ情報ヤ資料ヲ蒐集スルコトヲ目的トシタモノデ同部門ニハ責任者デアル調査室幹事ノ下ニ實際上ノ世話役トシテ

瀧江田久孝

ト職員ノ

山ノ内

牧　野

及囑託デアル

私

伊藤好道

カ居リ蒐集シタ資料ハ瀧江田カ整理シ之ヲ取纏メテ文書又ハ電報デ本社ニ送ツテ居リマス此等資料ニハ極秘扱ノモノカ非常ニ多ク囑託ニ依ルモノニハ囑託ヲ用ヰル場合カ屢々アリマス本社ニ送ル資料中定期ニ出シテヰルモノトシテハ時事資料月報カアリマス其ノ政治情報欄ハ私經濟情報欄ノ總論的部分ハ伊藤好道カ執筆擔當者トナツテ居リマシタ

時事資料係ニハ各種ノ情報ガ集ツテ来マスカ其ノ主ナルモ
ノハ

(イ) 東亜調査室ノ金融、工鉱業、農業、貿易、商業、交通、
世界経済等ノ各係ノ調査員ノ調査活動ノ結果纏メ上ゲラ
レタ資料

(ロ) 此等ノ調査員カ調査活動ヲ通シテ入手シタ情報

(ハ) 時事資料係カ自ラ纏メ上ケタ資料及入手シタ情報

(ニ) 時事資料係カ外部ノ連絡者ヨリ入手シタ情報

(ホ) 時事資料係カ満鉄外ノ他ノ大会社等ノ情報部門トノ連絡
ニヨリ得タ情報

(ヘ) 各種ノ通信社ヨリ入手シタ通信及情報

(ト) 本社ヨリ送付セラレテ来ル本社並ニ各地支社等ニ於テ蒐
集シタ資料及情報

（例）滿鐵調査部ノ東京支社內業務係ノ蒐集スル情報

等テ此等ノ資料及情報ハ極メテ學術的ナモノカラ時事的ナモノニ至ル迄凡ユル性質ノモノヲ含ミ其ノ種類ハ經濟ニ關スルモノカ多イノデスカ時事資料係テ取扱フモノ、內ニハ政治外交等ニ關スルモノカ相當多ク又國內ノモノノミナラズ外國關係ノモノモ相當多イノデアリマス（ソ）ノ業務係ノ情報關係ノ責任者ハ二、三年以前（ヨリ）業務係ノ

内務調査役

カ當ツテ居リマシタカ調査役ノ眼ニ觸ル情報ハ業務ニ資スル爲ノ一般情報テ其ノ內ニハ政治經濟ハ勿論軍事ニ亘ルモノモアリマス內務調査役ノ所ニ集ル情報ハ以前ハ或程度私ノ所ニモ廻サレテ來マシタカ昨年六月頃調査役カ別室カラ時事資料係室ニ移轉シテ來テカラハ殆ト全ク來ナクナ

リマシタ其ノ他

(イ)會議等ニ出席スル爲本社ヤ各地支社其ノ他ニ出張シタ時ニ會議ヲ通シタリ會社機構者トノ接觸ニ於テ情報ヲ得ン場合

(ロ)本社支社其ノ他ヨリ附屬支社ニ出張シテ來タ者ヨリ入手スル場合

(ハ)軍部、企畫院、商工省、鐵道省、東亞研究所等ニ對スル補職擔當職員及此等官廳ニ勤務スル滿鐵關係者ヨリ入手スル場合

此等カアリマス(ハ)ノ場合ニ於テハ支社調査研究タテモソ調班松村、藤田、師羅、神崎、總調査員、兵用地誌班ノ安藤調査員ノ如キハ軍ノ依囑ニ依リ軍關係ノ調査ニ從事シ常ニ密接本部等ニモ出入シ得タルノデ自然此等ノ人ト親シク接シ軍ノ

動向ヲモ探知シ得タ次第デアリマス

十問　野村合名會社調査部關係ニ付キ述ヘヨ

答　私ハ昭和十三年夏頃カラ野村合名會社ノ調査部責任者ヨリノ申出ニ依リ同調査部ト情報ノ交換ヲ行フコトニナリ同人外二名位ト其ノ年ノ暮頃迄ノ間數回ニ亘リ銀座尾張町ノ「ニユーグランド」永田町ノ「瓢亭」等ノ料亭デ會合シ情報ノ交換ヲ致シマシタ此ノ場合ハ專ラ先方カ内閣囑託タル私ノ地位ニ眼ヲ付ケテ情報交換ヲ申込ンデ來タモノデアリマスカ私ハ此ノ機會ヲ通シテ經濟界ノ動向ニ關スル情報ヲ入手スル便宜カアリマシタ

十一問　三井物産情報部トノ關係ニ付キ述ヘヨ

答　滿鐵東京支社調査部ト三井物産情報部トノ情報交換ハ昭和十五年初頭カラ行ハレ相互ニ政治經濟其ノ他ノ情報ノ交換

テ行ツテ來マシタ情報交換ハ滿鐵側ハ西江田三井側ハ織田船舶部次長ノ部下ノ某ヲ相互ニ往來シテ情報交換ヲシテ居リマシタガ之ヲ圓滑ニスル爲双方ノ關係者ガ集リ時々懇親會ヲ催シテ居リ私モ調査部主幹中島氏等ト共ニ此ノ會合ニ出席シテヰマシタ私ハ斯様ナ關係カラ三井物産ノ織田船舶部次長ト知合ヒ殊ニ昭和十五年秋カラハ直接個人トノ間デ情報交換ヲ行フコトニナリ滿鐵東京支社調査室滿鐵ビル内「アジア」經濟社ノ料亭「富士の里」其ノ他デ前後十數回ニ亘ツテ會ツテ居リマス織田カラ入手シタモノハ對ソ關係翼贊運動ニ關スル國內ノ政治上層部ノ動向船舶問題、石炭統制會社ノ問題、日米交渉ノ問題、政變ノ問題等ニ關スル情報ガ主ナルモノデアリマシタ

十二問　次ニ會合、懇談會、社會其ノ他個人的關係ニ付キ述ヘヨ

答　私ハ世間ニ顔カ廣ク色々新聞社、雑誌社等主催ノ座談會ヤ會議ノ際講演ニ招カレテ居リマシタ私ハ斯様ナ座談會ヤ講演會ノ後ナドデ開カレル懇談會ノ席上デモ種々情報ヲ得テ居リ又宴會等ノ席上デモ各種ノ情報ヲ得テ居リマスシ個々人的關係ヲ利用シテ入手シタ場合モ度々アリマスカ此等ハ餘リニ多過ギマスノデ一々ハ申上兼ネマス

十三問　昭和十六年中ニ於テ被疑者カゾルゲニ提供シタ情報並ニ意見ノ主ナルモノヲ述ヘヨ

答　ゾルゲヲ中心トスル私達グループノ諜報活動ノ根本目標ハソ聯ノ防衛ト日本ノ革命情勢ノ進展如何ト云フ二點ニアツタコトハ勿論デスカ昨年中ニ於ケル吾々ノ諜報活動ノ主要努力ハ

日ソノ問題

獨ソ開戦ニ関スル問題
日米交渉ノ問題
等ヲ繞ツテ日本最高政治ノ動向ヲ正確ニ把握スルコトニ向
ケラレタノデアリマス

十四問　先ヅ日ソノ問題ニ付キ述ヘヨ

答　日ソ問題ノ情報蒐集ニ關スルコトヲ述ヘルニ先立チ概括的ニ日ソ問題ニ關スル私ノ意見ヲ申述ヘマス
吾々ノ活動ノ目的カソ聯ノ防衛トイフ立場カラ爲サレテ來タコトハ前ニ述ヘタ通リデアリマスカ吾々トシテハ直接吾々ノ力ニ依ツテ日ソ戰爭ヲ阻止スルコトハ事實上不可能ナノデ能フ限リ正確ナ情報ヲ蒐集シテ之ヲコミンテルンニ送致シコミンテルンヤソ聯政府ヲシテ的確ナル情勢判斷ヲ得セシメ之ニ基キソ聯側ノ方策ヲ爲サセシメル外ニ途ハナイノデアリマス　其ノ場合私ハゾルゲ尾崎ト共ニ日本ノ對ソ攻撃ハ何時如何ナル方法ヲ又如何ナル方向ヨリ爲サレルカト云フコトヲ正確且ツ敏速ニ察知シ得ルヨウ其ノ判斷ノ資料トナルヘキ日本ノ政治外交經濟軍事其ノ他諸般ノ情報ヲ多

敵意ヲ抱シ且ツ種々ノ意見ヲモ付シテ之ヲコミンテルンニ報告シテ來タノデアリマス
私ノ觀察ニ依レハ抑々日本陸軍ノ精神ハ大陸制覇ニアリ其ノ目的實現ノ爲ニハソ聯ノ勢力ヲ殲滅スルコトヲ前提トスルコトハ申ス迄モアリマセヌカラ日本ノ對ソ攻撃ノ危機ハ常ニ存在シテ居タト云ヒ得ルノデアリマスカ特ニ滿洲事變勃發以後ニ於テハ其ノ危機ハ一層顯著トナリ事變ノ起ツタ時ハ引續イテ日ソ戰ニ發展スルノデハナイカトノ觀察モ一部ハ爲サレタ位デアリマシタ吾々ハ滿洲事變當時既ニ斯ル見解ヲ持ツテ居タノデ上海ニ居タ獨ゾルゲ、スメドレート相談シタ上事變直後ノ滿洲ノ新情勢ノ把握ニ努力シ特ニ川合貞吉ヲ此ノ目的ノ爲上海ヨリ滿洲ニ二回ニ亘リ派遣シ調査報告セシメタ次第テシタ　其ノ後引續キ日ソ間ノ關策テアツタ北鐵鐵道問題ニ就テモ注意ヲ怠ラス情報ノ蒐集ニ努メ又ソ聯側ノ日ソ不可侵條約締結ノ提議、日本ノ之ニ關スル態度等ニ付テモ情報蒐集ニ努力ヲ拂ツタノテアリマス

日獨防共協定ノ成立ニ付テハ該協定カ一種ノ對ソ攻守同盟ノ性質ヲ帶ヒテ居ルカ又ハ將來其ノ方向ニ發展スルモノテハナイカトノ點カラ之ニ關スル情報ノ蒐集ニモ努メマシタ

滿洲事變後國內政治ニ現ハレタ所謂革新勢力ノ擡頭ニ付テハ之カ對ソ關聯ヲ[illegible][illegible]左右スル性質ヲ有スルモノトノ見解カラ五・一五事件以來ノ所謂革新勢力ノ動向特ニ二・二六事件前後ノ事情ニ付テハ多クノ情報ヲ蒐集シテ其ノ情勢判斷ニ就テモゾルゲト研究シ合ヒマシタ又私ハ日本ノ對ソ攻

戰ニ出ル前ニ遂行セラレル可能性ガ非常ニ多イトカネ考ヘテ居リマシタガ其ノ理由ハ日本陸軍ノ大陸政策ノ決定的重點ハソ聯勢力ノ破摧トイフコトニアリ大陸制覇ハソ聯ヲ破摧スルコトニ依リ容易ニ爲シ遂ケ得ルト做サレテヰルト觀察シタカラデアリマス　現實ニ支那事變ガ起ツテ後モ日本ノ對ソ關係ニハ何等ノ變化ハナク對ソ戰ノ危機ハ依然トシテ存在シテヰタノデアリ無數ノ滿ソ滿蒙國境ニ於ケル紛爭事件ハ常ニ大規模ノ日ソ衝突事件ニ發展スル導火線タリ得タ狀況ニ在リマシタ　一面支那事變ハ支那側カラ云ヘバ民族解放戰爭タル性質ヲ帶ヒ從テソ聯ノ政策ト極メテ密接ナ關聯ヲ持チソ支不可侵條約ガ逸早ク成立シタ事情ニ徴スルモ此ノ間ノ消息ヲ窺知シ得ルノデアツテソ支關係ヨリシテモ支那事變ハ本質的ニ日ソ戰ニ擴大スル危險ヲ多分ニ

包蔵シテ居ルト見ラレマシタ
欧州大戦勃発当初ハ独ソ不可侵条約ノ締結カ在リ日ソノ関係ノ危機ハ一時緩和シタカノ如クニ見エ又日ソ中立条約ノ締結セラルルニ及ンテ日ソ戦ノ危機ハ著シク緩和シタモノトモ一部考ヘラレマシタカ昭和十六年六月二十一日ノ独ソ開戦ニ依リ再ヒ日ソ関係ノ危機カ急迫シ日ソ戦ノ心配カ切実ノ問題トナリ殊ニ七月ノ大動員ハ日ソ関係ニ付テノ現実ノ重要ナ危機ヲ含ンテ居ルモノトシテ全力ヲ上ケテ日本ノ対ソ関係ノ情報ノ蒐集ニ努メタト共ニ此時ノ情報ニ基キ的確ナル判断ヲ下スヘク努力致シマシタ　而シテ昨年八月下旬ニ於テハ少クトモ同年中ニハ日本ノ対ソ攻撃ナシトノ断定ヲ下シゾルゲヲ通シテ之ヲコミンテルンニ報告シタノテアリマス

以上ハ日ソ關係ニ關スル私ノ觀側ノ概要ヲ述ヘタノテアリマスカ斯ル見解ハ勿論ゾルゲニモ宮城ニモ述ヘテ居リマスカ昭和十六年ニ入ツテカラ諜報活動ノ第一ハ松岡外相ノ訪歐及日ソ中立條約ノ問題テアリマス

十五問　然ラハ松岡外相ノ訪歐並ニ日ソ中立條約ニ關スルモノヲ述ヘヨ

答　日ソ中立條約ノ締結サレタコトハ私ニセヨゾルゲニセヨ全ク意外トシタトコロテアツテ發表サレテ始メテ知ツタノテアリマス

松岡外相ノ訪歐ニ關シテハゾルゲモ一應注目シテ居タノテ訪歐ノ目的ヲ知ル爲ニ松岡外相ニ隨行スル者ニナツテ居タ西園寺公一ニ出發前二、三回會ツテ夫レトナク訪歐ノ目的ヲ聽キ出シ

タトコロ西園寺ハ
「何モ一國ノ外交ヲ引受ケタ以上外交々渉ノ相手方ノ顔ナリ性格ナリ考方ナリヲ知ラネハナラヌコトハ勿論テアルカ松岡外相ハヒツトラー、リツペントロツプ或ハスターリンノ如キ外交ノ重要ナ相手方ニ未タ會ツタコトカナイノテ實際ニ此等外交ノ相手方ヲ知ル爲ニ訪歐スルコトニナツタノテアル今一ツハ獨逸カ現實ニ何ヲシヨウトシテ居ルカ卽チ英本土上陸作戰ノ如キモノヲヤルノカヤラナイノカ左様ナコトヲ現實ニ見テ來ル爲ニ行クノテアツテ特別ノ使命ハナイ」トイフ意味ノコトヲ申シテ居リマシタカラ私ハゾルゲト連絡シタ時松岡ノ訪歐ノ目的トシテ西園寺ヨリ聞イタ事ヲ話シテ聞キマシタ　但シ松岡外相カ獨メ日ソ中立條約ノ如キモノヲ日ソ間ニ成立セシメル使命ヲ帯ヒテ出發シタカ否カノ點ニ付テハ其ノ當時ハ全ク考ヘ及ハナカツタトコロテシタカラゾルゲニハ其ノ意味ニ取ラレルヤウナ情報ナリ意見ナリヲ述ヘタ記憶ハアリマセヌ　私トシテハ日ソ中立條約ノ成立シタノハバルカン半島ニ於ケルソ聯外交ノ行過ギニ基ク獨ソ關係ノ緊迫ニ原因スルモノトノ見解ヲ持ツテ居タノテ此ノ意味ノコトハゾルゲニモ話シテ居リマス

尙私ハゾルゲヨリ日ソ中立條約成立ニ伴フ國內動向ニ關スル情報ヲ求メラレマシタノヲ各方面ヨリ情報ヲ入手スルト共ニ自ラモ一般ノ動向ヲ探究シテゾルゲニ報告シテ居リマス卽チ

(一)日ソ中立條約締成立ニ付キ政黨財界ハ一般的ニ之ヲ歡迎シタコトハ近衞首相自身松岡外相ノ出迎ヘヲ爲シ直ニ官邸ニ迎ヘテ乾杯シタ事實ニ依ツテモ窺ハレルコト

(二)中立條約ノ締結ハ一般的ニモ成功ト云ハレ松岡外相ノ入京當時市民ノ歓迎氣分ニモ其ノ意向カ看取サレタコト

(三)斯様ナ場合軍部ハ氣ニ入ラナケレハ何等カノ意思表示ヲ為ス例デアルカ日ソ中立條約成立ニ關シテハ嚴肅的ニ沈默シテ居ルコトハ暗默ノ賛意トモ見得ラレルコト

(四)右國方面デハ建國會ノ宗照織ヲ始メ多少ノ反對ハアルカ之ヲ除イテハ概シテ支持的デアルコト

(五)結局一般國内輿論トシテハ中立條約ヲ支持スルト共ニ之ニ依ツテ張鼓峰事件ノモンハン事件以來國民ノ間ニ蟠ツテキタ對ソ戰ニ關スル觀不安カ除去サレ重苦シイ空氣ヨリ解放サレタコト

等ヲゾルゲニ對シ說明シテ居リマス

尙日ソ中立條約締結當時同條約ハ日獨伊三國同盟トノ關係

ニ於テ如何ニ解釋スヘキカトイフ點ニ關シ議論カアリ樞軸派ト曾ヘレル者ノ間デハ獨誘勸ニ依ツテ日本ノ國策ノ遂進トシテ三國同盟ヲ締結シタ以上之カ一切ノ根據ヲ爲スヘキモノテ假令日ソ中立條約カ出來テモ明ニ兩者カ牴觸スル場合ハ三國軍事同盟カ優先スルトノ見解ヲ持ツテヰルト傳ヘラレ之ニ反シ外務省方面見解トシテ傳ヘタ處ヤ樞密內部ノ意見及審査會ノ席上ノ答辯デハ

日獨伊軍事同盟ハソ聯ヲ別個ニ取扱ヒ之ヲ除外シテヰルコトハ條文上ハ明白デアルカラ新ニ日ソ間ニ中立條約カ出來タ以上日ソ關係ハ三國軍事同盟ノ除外例デアツテ文理解釋カラ言ヘハ寧ロ中立ノ義務サヘ發生シタト解スヘキデアル但シ條理解釋カラ言ヘハ別ノ解釋モ成立ツ余地ハアル

トノ見解カ行ハレテヰタノデ此節モゾルゲニ報告シテ貰イタト思ヒマスカ私トシテ日ソ中立條約ノ成立並ニ之ニ對スル右樣ノ見方カアツテ又モ直ニ日ソ間ハ安全ダト見テ居ラズ其ノ時ノ情勢如何ニ依ツテハ日ソ關係ハ如何樣ニモナルト考ヘテ居リマシタ

十六問　松岡外相ノ訪歐ニ關聯シテ其ノ他ニ何等カノ情報ヲ入手シテ居ナカツタカ

答　松岡外相ノ歸朝後四月下旬カ五月上旬ノコトテシタカ松岡外相ハ滯獨中ニ獨逸當局カラ日ソ關係ニ付テノ獨逸側ノ意向ヲ聞カサレテ居タトイフ說カ行ハレテ居リマシタ

此ノ獨逸ノ意向ナルモノニハ二說カアリ

第一ハ

松岡外相カソ聯ト妥結關係ヲ結フ爲ニ話ヲ纏メルニ付テハ獨逸トシテハ何等反對ヲ唱ヘナカツタト云フ說

第二ハ

獨逸當局ハ松岡外相ニ對シ秘ニドイツトシテハソ聯ヲ攻擊スル準備ヲシテ居ルカラ日ソ中立條約ノ如キモノヲ結ンテハナラヌトノ意向ヲ洩シテ居タト云フ說

トアツタノデアリマスカ斯様ナ説話ノ行ハレテキタ事實自体ニヨツテモ知ラレル通リ當時獨ソノ關係ハ全ク混沌トシテ見透シ困難デアリマシタカラ私ハ獨ソ關係ノ眞相ヲ知リタイト考ヘ松岡外相一行ノ歸朝後間モナイ頃

西園寺公一

ニ對シ獨ソ關係ニ付テノ同人ノ意見ヲ打診シタ處西園寺ハ獨ソ間ハ非常ニ緊張シテキルノハ確實デアルカ自分ノ意見トシテハ戰爭ニハナラナイデアラウト思フ

ト云フ事デアリマシタカラ私ハ同人ノ説明ニヨリ松岡外相モ同様ナ意見ヲ抱キ此ノ見通ノ下ニ日ソ中立條約ヲ締立セシメタモノト推察シマシタ尚西園寺ト此ノ話ヲシタ時同人カラ

獨逸ハユーゴー問題ヲ無血デ解決スル計畫デアツタトコ

ロクーデターノ起キタ為武力デ解決セサルヲ得ナクナツタ
モノデアルカ独逸ニトツテハ此ハ一ツノ誤算デアリ此ノ誤
算ハ独逸全体ノ計画ニ大キナ影響ヲ及ホス結果トモナルモ
ノデ独逸ノユーゴー工作ハ形ノ上デハ一應ノ成功ト見エテ
モ全体カラ見ルト今後ニ多少ノ困難ヲ来スモノデアル
ト云フ意見ヲモ聞キマシタ
私ハ此等ノ情報ヤ意見ハ当時ゾルゲ及富塚ニ伝ヘテ置キマ
シタ尚富塚ニ対シテハ其ノ当時独ソ開戦ノ有無ノ見透ニ付
私ノ意見ヲ話シテ居リマス富塚ニ述ヘタ私ノ見透トイフノ
ハ
未タ的確ニハ独ソ間ニ戦争ノ起キル確信ハナイカ充分起ル
可能性カアルト思フ其ノ理由ハ第一ニ独逸トシテハ独英本
土上陸トイフ決定的ナ段ハ未タ軍事的見透カ付カナイ為打

サ得ナイ状態ニ在ルコト第二ニ獨逸ノバルカン工作ハ一見成功ノヤウデハアルカ相當ナ運輸組織カアリ獨逸トシテ近東作戰ニ一種齟齬ヲ來シテキルコト第三ニ獨逸指導層ノ對ソ反感カバルカン戰ヲ通シテ加ツテ來タコト第四ニハ獨逸カ現狀ヲ保ツ爲食料及燃料ヲ確保スル必要ニ迫ラレ此等資源ハソ聯方面ニ俟ツ外ナキコト等ノ事情ハ明ニ獨逸ノ對ソ攻擊ヲ示唆スルモノテアル

以上ノ如キ私ノ見透ヲ實例ヲ上ケテ當局ニ說明シテ置キマシタ

十七、問　獨ソ開戰ニ關シ如何ナル諜報活動ヲ爲シタカ

答　此ノ問題ニ關シテハ先ヅ獨ソ戰ニ付テノ吾々ノ見透ト獨ソ戰ニ關シテノ日本ノ態度トニ分ケテ說明致シマス

第一ハ獨ソ戰ニ關スル吾々ノ見透テアリマスカゾルゲハ獨ソ開戰ノ約三ケ月前位ニ獨逸ヨリソ聯ニ對シ攻撃ノ加ヘラレル危險性ノアルコトヲ指摘シテ私ノ注意ヲ喚起シテ居リマシタ其ノ後獨ソ戰開始ノ直前私ハゾルゲニ「獨逸カコーカサスノ石油及ウクライナノ穀物ニ關スル要求ヲ出シテキルトスルナラハソ聯トシテハ思ヒ切ツタ經濟的ナ讓歩ヲナシテモ獨逸トノ戰爭ヲ回避スヘキテアル」トノ意見ヲ述ヘタトコロゾルゲハ「吾々ノ本國トシテハ獨逸カ現實ニ左樣ナ要求ヲ出シテ來ルナラハ讓歩スルテアラウカ獨逸ハ其ノヤウナ要求ヲシナイテ突然攻擊シテ來ルテアラウ戰爭ヲ回避

スル爲ノ妥協ノ餘地ノナイコトナ爲レテヰルト云ツテ獨ソ開戰ノ可能性多キコトヲ強調シテ居リマシタ

第二ハ獨ソ戰ニ關スル日本ノ態度ニ付テヾアリマスカ獨逸カソ聯ニ對シテ戰爭ヲ開始シタ六月二十一日ヨリ前ニ於テハ吾々トシテハ開戰ニ關スル何等ノ情報モ持ツテ居ラナカツタノデアリマスカ開戰直後ニ於テハ各方面カラ相當情報ヲ入手シテ居リマス

其ノ一ハ獨ソ開戰後ノ獨ソ戰ノ將來ノ見透ニ關スル一般情報デアリマス吾々ハ獨ソ開戰後日本ノ軍政府ノ上層部カ其ノ將來ヲ如何ニ見テ居ルカトノ點ニ付キ注意ヲ拂ヒマシタ私ハ凡ユル會合ノ席上ヤ團體內部デ情報ヲ蒐メルコトニ努力シマシタ私ノ得タ此ノ點ニ關スル情報ハソルゲニ報告シテアリマスカ其ノ內容ハ

日本上層部ノ意向デハ政府モ軍部モソ聯カ獨逸ニ敗北ヲ喫スルデアラウ更ニ之ハ引續イテスターリン政權ノ崩壊迄行クデアラウトノ見透カ壓倒的デアルト云フニ在リマシタ此ノ情報ハ各方面カラ得テ居タノデスカ[illegible]其ノ内デモ朝飯會ノ席上デハ之カ屡々話題ニ上リ西園寺、渡邊兩名カ沈黙ヲ守ツタ以外ハ牛場、松本、岸其ノ他孰レモ大體ニ於テソ聯カ敗退シスターリン政權ノ崩壊ニ至ルモノト認識シマシタ又牛場、西園寺、松本等カラハ大島駐獨大使ヤオツト駐日獨大使等ハ三週間トカ六週間トカノ短期間ニ獨逸ハ壓倒的ナ勝利ヲ獲得スルトノ見透ヲ立テヽヰルト云フ話モ出マシタ私ハ左様ナ情報ヲ綜合シテ日本上層部ノ意見デハ短期間ニソ聯カ崩壊スルトノ見透デアルトソルゲニ報告シテ置イタノデスカ滿鐵内部ノ平館、西尾、仁木其ノ他「世界經濟」關係編輯者等若イ連中ノ間デハソ聯ハ急速ニハ崩潰シナイテアラウトノ意見モアリマシタカラゾルゲニハ若イ連中ノ間デハ必スシモソ聯ハ急速ニ崩壊スルトハ見テヰナイト附加ヘテ述ヘテ置キマシタ私ノ見解テハ軍事的ニハ獨逸ハ相當ノ效果ヲ上ケルテアラウカ決シテソ聯ハ崩壊シナイテアラウト考ヘテ居マシタカラ朝飯會ノ席上テ此ノ意見ヲ述ヘマシタカ殆ト私ニ贊成スル者ハアリマセヌテシタ

其ノ二ハ開戰前豫メ獨逸ヨリ日本政府ニ對シ戰爭開始ニ關スル通達カアツタカナカツタカノ點及日本政府ニ於テ獨ソ開戰ノ場合ノ態度ヲ豫メ決定シテヰタカ否カノ點テアリマス

此ノ點ニ關スル情報トシテハ

一獨逸政府カラ正式ニ日本政府ニ對シ事前ニ通告シ又ハ諒解ヲ求メテ來タ事實ハナイカ政府トシテハ大島大使カラ獨逸カ戰端ヲ開始スルトイフ報告ヲ豫メ得テヰタコト

二日本政府及軍部ノ首腦部間デハ此ノ情報ニ基キ獨ソ開戰前ニ於テ既ニ開戰ノ場合ニ於ケル日本ノトルヘキ態度ニ付協議シ當面中立ヲ嚴守シ形勢ヲ觀望スル方針ヲ決定シタコト、

等ノ重要ナ情報ヲ入手シタノデ開戰數日後ゾルゲニ會ツタ時此ノ情報ヲ傳ヘ又宮城カ私方ニ來タ時ニモ此ノコトヲ話シテ居リマス尤モ右ノ情報中前者ハ朝飯會ノ席上牛場、西園寺、松本等ノ間デ其ノ何レカカラ持出サレタ話ト記憶シテ居リマスカ三人ノ内ノ誰デアツタカ判然シマセヌ夫レハ兎モ角トシテ此ノコトハ朝飯會ノ席上デハ既ニ過キ去ツタコトデモアリ余リ重視セス一ツノ挿話トシテ話サレテヰタ程度ノモノデシタカラゾルゲ等ニ對シテハ一ツノ參考情報トシテ傳ヘテ置イタノデアリマス
後者ハ西園寺公一カラ聞イタコトデ私ノ記憶ニ略間違ヒナイト信シテハ居リマスカ只今ノトコロデハ西園寺カラ此ノ話ヲ聞イタ日時場所等ニ付正確ナ記憶カアリマセヌ併シ事柄ノ内容カラ見テ一言テ濟ムコトテスカラ西園寺カ滿鐵ノ私ノ部屋ニ立寄ツタ時デハナカツタカトモ想像サレ又其ノ日時モ獨ソ戰開始後ノ數日間デアツタト思ハレマス西園寺カラ此ノ事ヲ聞キ出シタ時ハ私ノ方カラ態サ持チ掛ケタノデアリマシテ夫レモ雜ノテ自然ナ無理ノナイヤリ方デ聞キ出シタト思ヒマス
獨ソ開戰後間モナイ頃私ハゾルゲニ近衛首相ノ意向ニ付

キ

近衛首相ニハ對ソ攻撃ヲヤラウトスル意圖ハナイ近衛首相トシテハ支那事變丈ケデ手一杯デアルハカリデナク對米關係ノ前途モ豫測シ難イノデ對ソ戰ヲ開始シタクナイ肚デアル若シ英米カソ聯カ何レカト戰爭シナクレハナラヌトスルナラハ近衛首相ハソ聯結ヒテアルカラ其ノ時ハ寧ロ對ソ戰ヲトルデアラウ

ト説明シタコトモアリマス

私ハ其ノ當時直接近衛首相ニ會ツテ其ノ肚ヲ探ツタ譯デハアリマセヌカ支那事變ニ付テノ近衛首相ノ考方ヲ知ツテ居タコト、朝飯會ニ於ケル近衛側近者等ノ現在ノ日本ハ輕々シク戰爭ヲ爲スヘキデナイトノ意向、近衛内閣ノ政策ノ客觀的ナ判斷等カラ推測シテ居タノデアリマス

近衛首相ノ意向ヲ斟酌シ

十八問　只今供述シタニノ點ニ關シ證據書ハ富城ニ對シ「日本政府及軍部ノ高官ハ獨逸ノソ聯攻撃ノ確報ヲ得テ六月十九日ニ會議ヲ開キ獨逸及ソ聯ニ對スル日本ノ政策ニ付キ協議シ日本トシテハ獨伊トノ三國同盟條約ヲ守ルト共ニソ聯トノ中立ヲ嚴守スル方針ヲ決定シタトノ趣旨テ話シタノテナイカ

答　政府及軍部ノ首腦部ノ間ニ於テ中立ヲ嚴守スル[illegible][illegible]的ナ態度ヲ決定シタ事實ノアルコトヲ富城ニ話シタノハ只今述ヘタ通リ間違ヒアリマセヌ但シ其ノ決定ノ日時等ハ只今ハ記憶シテ居リマセヌ要スルニ[illegible][illegible][illegible]ノヤウナ趣旨ノコトヲ富城ニ話シタコトハ相違アリマセヌ此ノコトヲ富城ニ話シタノハ獨ソ開戰後ノ一週間以內テ六月二十五日ハ水曜日テ確カ閣[illegible]會カアツタ筈テスカラ其ノ翌日ノ二十六日頃テハナイカト思ヒマス

十九問　尚敍述者ハ宮城ニ對シ「獨逸ハ今日迄ノ處日本ニ對シ来タ何等ノ提案ヲモ爲シテ居ナイ併シ大島大使ヨリハ日本政府ニ對シ屢々抗議シテ來テ居ル」ト云フ趣旨ノコトヲ話シテ居ルノデハナイカ

答　其ノ當時宮城ニ左樣ナ話ヲシタコトハ記憶ニアリマセヌ私ノ記憶デハ獨蘇開戰後一週間位ノ時期ニハ獨逸カラハ正式ニハ何等ノ提案モナカツタカ大島大使カラハ獨逸ニ呼應シタ對ソ進攻ヲ爲スヘシトイフ強硬意見カ外務省ニ寄セラレ又一方駐日獨大使オツトモ同樣ナ働掛ケヲ爲シ殊ニオツト大使ハ若シ日本カ立タナケレハ獨逸ハ單獨デソ聯戰ヲ遂行スルカ其ノ代リ三ケ月後ニハウラヂオストツク迄出テ來ルト豪語シテヰルト云フコトヲ對獨會ノ席上デ聞キ又其ノ際日本政府トシテハ此ノヤウナ働掛ケニハ取合ハナイ方針デ聞

題トシテキナイトノ情報ヲモ併セテ入手シタト覺エテ居リマス此等ノ情報ハ宮城ニ傳ヘテ居リマス　尚ゾルゲニモ報告シテ置イタト思ヒマス

尚其ノ頃新聞記者等ノ間デ日本ノ陸軍ハ對ソ戰態度決定ニ付キ獨歐ヨリノ歸途ニ在ル山下奉文中將ノ齎ス意見ニ期待シテ居ルトノ噂カアリマシタノデ此ノ情勢モ宮城ニ傳ヘテ居リマス

二十問　此ノ六月十九日ノ會議ノ重要サヲ如何樣ニ考ヘテ居タカ

答　此ノ會議ノ決定事項ハ國策ノ重要ナ機密ニ關スルモノト理解シテ居リマシタ

尚軍部モ關與シテ居ルコトデスカラ軍事上ノ秘密ニモ關スルモノト思ツテ居リマシタ

二十一問　獨ソ開戰直後ニ於ケル日本ノ政策ニ關シ其ノ他何等カノ情

報ヲ得テ居タノデハナイカ

答

獨ソ開戰後ノ日本ニ於テ最モ注目スヘキ政策ノ一ツハ外交政策トノ關聯ニ於テ作戰計畫ノ樹立サレタコトデアリマス從來ハ未タ四圍ノ情勢カ緊迫化シナカツタコトニモ依ルノデスカ陸軍ト海軍トハ夫々異ツタ見地カラ作戰計畫ヲ樹テ從テ其ノ間ニ不調和ヤ政治的意見ノ不一致等ヲ免レナカツタ實狀ニアリマシタ即チ陸軍ニ於テハ大陸政策カ眼目テ從テ對ソ作戰ヲ根幹トシタ作戰計畫カ樹テラレテ來タノニ對シ海軍ニ於テハ海洋政策カ眼目デ從テ南進政策ニ基イタ作戰計畫カ樹テラレテ來タノデアリマス然ルニ國際情勢ノ急激ナ變化ニ伴ヒ兩者ヲ統一的ニ結合セシメル實際上ノ必要ヲ生シテ來マシタ其處テ陸海軍ノ間ニ於テハ此ノ現實ニ即應シタ決定ヲ爲ス爲メ獨ソ開戰

ノ直後双方ノ責任者カ集リ協議シテ「南北統一作戰」ト
モ謂フヘキ作戰計畫ノ基本方針ヲ樹テ之カ實施ヲ決定シ
タノテアリマス

右ノ「南北統一作戰」ナルモノヽ內容ハ前述ノ如キ陸海
軍各々カ異ル目標ニ向ツテ樹テタ基本方針ヲ變更シ日本
ノ國策トシテハ國際情勢ノ變化ノ如何ニ卽應シテ何時ニ
テモ北進シ又ハ南進シ或ハ南北同時ニテモ進攻シ得ル如
ウ戰備ヲ整ヘルコト卽チ當面ニ於テハ南方佛印ニ對シ兵
力ヲ增強スルト同時ニ滿洲樺太北海道方面ヘモ兵力ノ增
強ヲ行フコトヲ意味スルモノテアリマス此ノ南北統一作
戰ノ決定ハ其ノ後ノ七月二日ノ御前會議ニ於テ決定ヲ見
タ所謂帝國國策要綱ノ根幹ヲ爲シテヰルノテアリマス

陸海軍ノ責任者カ右ノ南北統一作戰ヲ決定シタコトハ其

ノ錦時報日新聞社ノ

田中徹次郎

ヨリ聞キマシタ其ノ時田中ハ今度海軍ト陸軍トノ間ニハ緊密ナ共同ノ作戦カ出来上リ夫レニ基イテ行動シヨウトシテヰル此ノ作戦計畫ハ對米交渉ト睨ミ合ハセテ樹テラレタモノテ對米交渉カ所期ノ如ク進マナケレハ軍部ハ既ノ計畫ニ基イテ實際米國ト一戦ヲ交ヘル決意ヲシテヰルノテアル今度ハ陸海軍ノ間ハ曾テナイ緊密ナ關係カ出来上ツテヰル

ト云フ趣旨ノ話ヲ聞カセテ與レマシタ但シ田中カラ南北統一作戦ト云フ言葉其ノモノヲ聞イタカ否カハ判然シマセヌ田中カラ右ノ話ヲ聞イタ場所ハ多分赤坂葵町ノ満鐵ビルノ「アジア」デアツタト思ヒマス

右ノ情報ハ其ノ當時私ヨリ宮城ニ話シテ居リマスシ又ゾルゲニモ報告シテヰル筈デアリマスカ兩名ニハ一南北統一作戰トナル問題デ用ヒテ話シテ居ル筈デス

二十二問

被疑者ハ宮城與徳ニ對シテハ所謂一南北統一作戰トナルモノハ六月二十三日ノ陸海軍首腦部會議ニ於テ決定サレタモノトシテ話シテ居ルノデハナイカ

答

會議ノ日時ノ點ハ判然シマセヌカ獨ソ開戰ノ直後ノコトトシテ宮城ニ話シタコトハ間違ヒナク又陸海軍首腦部ノ會議ニ於テ左樣ナ決定ノ爲サレタト云フ趣旨デ話シタコトモ相違アリマセヌ又

此ノ陸海軍首腦者會議デ決定シタ作戰計畫カ軍ノ機密ニ關スルモノデアルコトハ勿論ヨク承知シテ居リマシタ

檢事訊問調書（三月十日）

被疑者　尾崎秀實

一、問　昭和十六年七月二日ノ御前會議ニ關スル情報ヲ入手シタノデハナイカ

答　其ノ通リ入手シタニ相違アリマセヌ七月二日ノ御前會議ハ四月以來續ケラレテ居タ對米交渉ノ結果ニ對スル豫測モ困難ナ事情ニアル一方六月二十一日以來獨ソ間ニ激烈ナル戰爭カ行ハレソ聯ノ戰力ノ崩壞延イテハ日本ノ接壤地方即チソ聯領シベリヤニ混亂乃至動搖ノ起ルコトモ豫想サレ此ノ狀態ニ對應シ既ニ陸海軍ノ間テハ南北統一作戰ト云フ方針カ出來上リマシタノテ之ヲ政治面ニ打出シテ日本ノ根本的ナ國策ヲ樹立スル現實ノ必要ニ迫ラレ開會サレルニ至ツタ

モノテアリマス

此ノ御前會議ニ依リ決定セラレタ重要國策ハ右ニ申述ヘタ通リ日本カ獨ソ開戰後ノ國際情勢ニ對處スル爲ノモノテアツテ其ノ内容ハ

(一)支那事變ノ完遂ニ努力スルハ從來通リナルモ對米關係ノ緊迫化ト同時ニ獨ソ戰ノ進展ニ伴フソ聯ノ内部動搖等ノ新轉機モ想像セラルヽニ依リ此ノ南北兩方面ニ起リ得ヘキ事態ニ對處スル爲所謂南北統一作戰ノ線ニ沿ヒ動員ヲ行ヒ南方及北方ニ派兵スルコト

(二)當面獨ソニ對シテハ中立ヲ確持スルコト

(三)對米交渉ニ付テハ決裂ノ場合ニハ武力ニ訴フルモ辭セサル決意ヲ以テ今一應努力ヲ繼續スルコト

ニ重點カ在ツタト考ヘマシタ

御前會議ノ内容ヲ斯樣ニ判斷シタ理由ハ

(一)陸海軍首腦部間ニ於テ既ニ南北統一作戰ナルモノカ決定セラレテヰタコト

(二)對米交渉カ必スシモ樂觀ヲ許サヾル事情ニアリ不成立ノ場合ノ對應策ヲ確立シ置ク必要ノアツタコト

(三)近衞首相ノ側近ト謂ハレル牛場友彦、松本重治等ノ朝飯會ノ席上ニ於クル話振リカラ政府トシテハソ聯カ近ク崩壞スルテアラウトノ見透ヲ持ツテ居ル樣ニ見受ケラレタコト、並ニ滿鐵ニ窮ル軍部方面ノ見透トシテ傳ヘラレルトコロモ政府ノ右見解ト略同樣テアツテ政府モ軍部モソ聯カ近ク崩壞スルモノトシテ其ノ場合ニ對處スル方策ヲ講スル必要ニ迫ラレテヰタコト

(四)獨ソ戰ニ付テハ飽迄中立方針ヲ決定シ居リタルコト

等ノ事情ニ依リ斯ク判断シタノテス
私ハ御前會議ノアツタ数日後ゾルゲ宅テ同人ト連絡シタ際
此ノ御前會議ノ内容ヲ話シテ居リマスカ夫レ迄ニ私ノ雑儀
シタ會議ノ内容ヲ確メル爲ニ西園寺ニ會ヒ同人ニ當ツテ見
タ上テ夫レニ間違ヒナイコトヲ確メテカラ之ヲゾルゲニ報
告シテ居リマスカ如何様ナ聞キ方テ西園寺ニ確メタカ記憶
シマセヌ
ゾルゲニ話シタノハ大体右ニ述ヘタト同様ノ趣旨ノモノテ
スカ其ノ説明トシテ進駐ヲ行ヒ佛印ノ兵力ヲ増強スルコト
並ニ北方シベリヤカ問題テアルカラ滿洲、樺太ニモ兵力補
強ヲ行フモノテアルコトヲ附加ヘシ此等會議ノ内容ハ近衛側
近者カラ聞イタト傳ヘテ居ルト記憶シテ居リマス又宮城ニ
モゾルゲニ話シタ数日前ニ話シテ居リマスカ同人ニハ龍大

ナ事項デスカラ私自身手控ヲシ乍ラ整理シテ同人ニ口述シ筆記サセタコトヲ憶ヘテ居リマス

三、問　昨年八月下旬ニ於テ少クトモ同年中ニハ日本ノ對ソ攻撃ナシトノ情報ヲゾルゲニ提供シタノデハナイカ

答　既ニ述ヘタ七月二日ノ御前會議ニヨリ南北兩方面ヘノ派兵カ決定シ之ニ基キ七月ノ大動員カ行ハレタノデアリマスカ當時私ハ從來ノ陸軍ノ基本的動向カラ見テ對ソ進攻ハ殆ト決定的方向ト觀察シテ居マシタケレトモ是迄ハ支那事變ノ關係事實上對ソ進攻ヲ遂行スルコトノ困難ナル實狀ニアツタカ獨ソ開戰ノ結果遂ニ對ソ進攻ノ好機會ヲ得タノデ關東軍トシテハ御前會議ノ決定ヲ眞ニ積極的ニ推シ進メテソ聯ノ崩潰ヲ待タスニ獨逸ノ或程度ノ軍事的成功ノ機會ヲ捉ヘテ開戰スル意圖デアルト判斷シテ居リマシタ

昨年七、八月頃滿鐵内部テ得タ情報テハ
(一)大連ヲ經由シテ部隊カ續々北上シテヰル
(二)關東軍カラ滿鐵ニ對シ多數ノ人員ヲ要求シテヰル
ト云ハレテヰタノテ私ハ此等ノ情報ト共ニ[illegible]ニ添ヘタ私ノ意見、見解ヲゾルゲニ傳ヘテ居リマスカ對ソ戰開始ノ時期トシテハ季節ノ關係カラ見テ遲クモ八月中旬又ハ下旬ト判斷シゾルゲニモ其ノ旨ヲ話シテ居リマス
七月ニ行ハレタ大動員ニ依リ部隊カ如何ナル方面ニ如何程ニ配備サレタカハ對ソ開戰ノ有無ヲ決定スル重要ナ事項テスカラ當時私ハ此ノ點ニモ注意ヲ拂ツテ居リマシタ其ノ頃大動員ニ依ル部隊カ南北兩方面ニ配備サレタコトハ間違ノナイ處テシタカ如何樣ニ配備サレタカハ容易ニ判明シナカツタトコロテシタ街ノ噂テハ概據シテヰルカラ南方ニ行ツタ

ト云ヒ或ハ大阪テハ軍カ冷藏庫ヤ數艘テ多數買ツタト云フ話モアリ況シテ或程度南方ニ向ツタコトハ間違ヒナイト考ヘマシタカラゾルゲニ對シテハ部隊ハ南方ニモ行キツヽアルト報告シマシタ又動員ノ始ツタ間ノナイ頃六本木ノ鰻屋「大和田」テ風見氏外四、五名ト一緒ニ食事ヲシタ時風見氏カラ今度ノ動員ハ五百萬テアルト聞キマシタカラ備戰アルモノト思ヒマセヌテシタカ宮城ニ會ツタ時「風見サンハ五百萬動員ト云ツテ居ル」ト話シテ聞イタコトヲ憶エテ居リマス、其ノ後十月下旬滿鐵東京支社ノ「アジア」カ私ノ部屋テ三井物産ノ織田船舶部次長ト會ツタトキ私ヨリ今度ハ北サヤルノテハナイカトイフ意味ノコトヲ話シテ北方ニ進攻スルテアラウトノ見透ヲ強調シタトコロ織田ハ正面カラ私ノ見透ニ反對シマセヌテシタカ「私ノ所ニ集ツテキ

ルニユーステハ兵隊ハ却テ南ノ方ニ鑛山行ツテ居リ北ノ方ニハ少イト云フコトデスガネート云ヒ更ニ動員數ノコトヲ聞キマスト

北ニ二十五萬南ニ三十五萬内地ニ四十萬

テアルトカ申シマシタ此ノ數字ハ正確ナ記憶ニ基イテ申上ゲテ居ルノデハアリマセヌカラ或ハ間違ツテ居ルカモ存ジマセヌカ其ノ後ゾルゲニ會ツタトキ七月大動員ニ依ル兵力配備狀況トシテ織田カラ聞イタ儘ヲ聞入ニ綴合シテ居リマスカラゾルゲニ綴合シタ數字カ織田カラ聞イタ正確ナ數字テアリマス但シ此ノ數字ハ私ニハ案外デ寧ロ北方カ多イト思ツテヰタノカ全ク反對デシタカ未タ其ノ數字ニモ多少疑ヒカアリ之ノミニ依リ將來ノ見透ヲ付ケルコトハ出來マセヌテシタ

然ルニ其ノ後

(一)獨逸軍ノ進撃カスモレンスク地區ニ於テ膠着シタコト

(二)對米關係ノ惡化殊ニ南部佛印進駐ニ依ツテ英米兩國ノ日本資産ノ凍結ニ次ク全面的對日經濟封鎖、南方ヨリスル日本包圍ノ態勢カ取ラレツヽアリ此ノ際北方ニ進攻スレハ南北兩面ヨリノ包圍攻撃ニ陷ル危險ヲ生シタコト

等カラ情勢ハ次第ニ變化シ獨ソ開戰ノ結果ソ聯カ崩壊スルモノトノ見透カラ動員ニ賛成シタ上層部ニ於テモ對ソ攻撃ヲ遷延スル氣配カ見エテ來タトノ一般情報ヤソ聯ノ敗北ヲ最初ハ信シテヰタ軍部ノ間ニモ多少ノ異見カ現ハレ或ハソ聯カ持チ堪ヘルノデハナイカト見ルモノモ出來又滿鐵内部ニ於テハ陸軍省ハ對ソ問題ニ付強硬テアルカ參謀本部ハ自重論テアルトノ説モ行ハレテ來ルヤウニナリ地方海軍側ハ

元來海洋作戰ノ目的デ造ツタ飛行機艦艇ヲ對ソ戰ニ用フルコトヲ好マナイ狀態ニ大リ更ニ經濟的ヲ見テモシベリヤハ日本ノ當面ノ經濟的ナ窮境ヲ打開スルニ必要ナ資源獲得ノ對象トハナリ得ナイ狀況ニアリ內關東軍デハ滿鐵從業員ヲ待機サセタニ拘ラス一向徵用シナイ狀態ヲ之等ノ情況カラ推シテ對ソ攻勢ヲ開始スルカ否カ極メテ疑問ナ情勢トナリ時期的ニモ決定的ニ遲レテ來タノデ私ハ此等種々ノ情勢カラソ聯攻勢ハ略ナカラウトノ見解ニ傾キゾルゲ及宮城ニハ此等ノ情報ト共ニ自分ノ見透、意見ヲ傳ヘテ置キマシタゾルゲトシテハ來タ私ノ意見ニハ全面的ニハ贊成セス斷定ハ時期尚早デアルト慎重ナ態度ヲトツテ居リマシタ

其ノ後八月中頃以後ニナツテ關東軍ノ代表者カ上京シ軍首腦部ト對ソ戰ヲヤルカ否カニ付相談シテヰルトノ噂ヲ滿鐵

内デ誰カカラ聞キマシタノデ之ヲ確メル爲私ハ西園寺ニ會ツテ「自分ノ所ニ集ツテ來ル情報デハ關東軍カラ代表カ來テ軍首腦部ト相談シタソウダガヤラヌコトニナツタノカ」ト聞イタ處西園寺ハ「先週アタリヤラヌコトニ決ツタヨ」ト云ヒマシタカラ滿鐵内部ノ噂通リ間違ヒナイ事實ト判斷シ其ノ旨ゾルゲニ報告シマシタゾルゲニハ此ノ決定モ獨ソ戰カ膠斷セザル進展ヲ示シシベリヤ地方ニ大キナ反響ヲ起シタ場合ハ日ソ開戰ニ發展サレル危險ノアルコトヲモ附加シテ居リマスカ此ノ附加シタ點ハ私ノ觀測ニ過キマセヌ尚ゾルゲニハ西園寺カラ得タ情報ハ近衞側近者カラ入手シタト話シテ居リマスゾルゲハ私ヨリ此ノ報告ヲ受ケタ時非常ニ滿足シタヤウナ喜ビノ樣子ヲシテ居リマシタ其ノ後宮城カラモ「此ノ間ノ情報ハ良カツタデスネ」ト云ハレ此ノ

報告カゾルゲ氏ニトツテハ非常ニ嬉シイモノデアツタコトヲ察シタ次第デス

三問 ゾルゲノ作成シタ報告書ニ依レハ「インヴェストガ軍部ヨリ知リ得タル所ニ依レハ陸軍ハ次ノ二状態ノ下ニ戦争ヲ開始スル即チ第一ハ関東軍ノ兵力カシベリヤ赤軍ヨリモ三倍ノ強力ヲ得タ時第二ハシベリヤ軍ノ階級ニ内政的崩壊ノ明瞭ナル兆候カ見エタ時」更ニインヴェストハ満州ニ増援部隊トシテ派遣サレタ部隊ハ前線カラ後方ニ引揚ケタ云々」ト記載サレテ居ルカ如何

答 インヴェストトアルノハ情報ノ内容カラ見テ私ニ相違アリマセヌ インヴェストハ「インヴェステゲーション、デパートメント」ノ略稱テ私カ調査室ニ居ル関係カラゾルゲハ斯様ニ私ヲ表示シタモノト思ヒマスゾルゲノ報告書ニ記載サレタ軍情報ハ昨年八月下旬頃ニゾルゲニ報告シタニ相違アリマセヌ第一點ハ七月中旬滿鐵ノ時事資料係員ノ聞テ獨ソ戰ノ結果極東赤軍カ歐洲ニ輸送シテ相度ニ兵力カ減少シ例ヘハ關東軍ノ兵力ノ三分ノ一ニテモ低下スレハ日本軍部トシテハ問題ナクソ聯ニ對シ戰爭ヲ開始スルデアラウト噂サレテヰタコトニ根據カアルノデアリ第二點ハ八月上旬後藤隆之助ノ紹介デ丸ノ内常盤デ晩食ヲ喰ヘナカラ外交問題ニ付キ意見交換會ヲ催シ

後藤隆之助
當時陸軍大佐　佐藤賢了
朝日記者　渡瀬亮輔
帝大教授　矢部貞治
外務省事務官　湯川盛夫

私

外三、國名

カ様ツタ席上佐藤賢了ヨリ「今ノ日本ハ次第ニ四面包圍サレル情勢ニナリツツアリ之ヲ打開スルコトハ戰術的ニ見テ一番劣勢ナ吾々ハ何處カニ血路ヲ求メテ包圍網ヲ破ラナケレバナラヌ軍事的ニ作戰ヲ考ヘルノハ吾々ノ任務デアルガ戰略ニ於テハ包圍陣ヲ破ル外交的ナ方策ヲ考ヘテ欲シイ」（トイフ意味ノ話アリ）尚「ソ聯カ獨逸ト戰ヒ敗北シテ其ノ國内部崩壊ヤ混亂ヲ來セバ日本トシテハシベリヤヘ兵ヲ出スコトハ當然ナコトデソウナツテモジツト見テ居ヨウト云フモノハ日本人トシテハ一人モアルマイ機會ヲ逃スト云ウ手ハナイカラ」ト云フ趣旨ノ話ヲシタノデ私ハ面白イ意見デアルト考ヘ、第一點ト併セテハ八月下旬ソルゲニ會ツタ時話シタノデア

日本標準規格B4號

リマス藤ニ話ヲ話ストキニハ佐藤賢了大佐カラ聞イタコトヲ[illegible]ダヤシ[illegible][illegible]ゾルゲハドウイフ人カト聞キマシタカラ陸軍省ノ軍務課長デ前ニ獨逸駐在サシタコトカアリ[illegible][illegible]ヲ[illegible][illegible]ヲ[illegible]カリ付クタ有名ナ人デアルト說明シテ聞キマシタ

報告書ノ滿洲增援部隊ノ後方補給引揚ノ點ハ其ノ後滿洲カラ滿鐵東京支社ニ來テ居ツタ滿鐵關係者ノ話カカラ「滿洲ハ九增援撤收シテヰナイ却ツテ前線カラ退ツテ來ル部隊モアル」ト云フコトヲ耳ニシテ居リマシタカラゾルゲニ報告シテ置イタノデゾルゲノ報告書ニ記載サレタモノト考ヘマス

問　被疑者ハ昭和十六年七月ノ動員後ニ於ケル滿洲ノ情勢調査ノ爲ゾルゲノ命ニ依リ滿洲ニ派遣サレタノデハナイカ

答　昨年九月二日東京ヲ出發シ滿洲旅行ヲ經ヘテ九月十九日頃歸京シタコトハ事實デスカゾルゲノ命ニ依リ派遣サレタノ

テハアリマセヌ其ノ國際關係ヲ日本ノ直面シテヰル內外ノ政治情勢ニ依ツテ滿洲カ如何ナル影響ヲ蒙ルカト云フコトト關聯シテ廣ク日本ノ政治經濟カ如何ナル變化ヲ蒙ルカト云フコトヲ中心問題トシタ研究ヲ調査部カ各地ノ駐在員ニ命シテ調査セシメマシタカ其ノ結果ヲ大連ノ本社ニ持寄リ檢討スルコト、ナリ私モ東京支社ノ一員トシテ出席ヲ命セラレタノテ大連本社ニ於テ九月八、九日開カレタ「新情勢ノ日本ノ政治經濟ニ及ホス影響調査會議」卽チ所謂新情勢ノ會議ニ出席シタノテアリマス其ノ出發數日前ゾルゲ宅テ同人ニ會ツテ此ノ話ヲスルト同人ハ非常ニ好イ機會タト喜ビ「滿洲ニ行ツタラ現地ノ情勢特ニ關東軍ノ動靜ヲ良ク調査シテ吳レ」ト言ヒ私トシテモ獨ソ關係ノ見透ヲ付ケルニハ滿洲ノ情勢ヲ調査スル必要ヲ感シテ居リマシタカ

ヲ之ヲ準備致シマシタ
大連デハ大村總裁以下滿鐵ノ幹部其ノ他多數ニ會ツテ滿洲ノ情勢ヲ聞キ私ヨリモ内外ノ情勢ヲ話シ會談デハ新京、北支、新京ノ報告者ノ報告ヲ中心トシテ質問應答カ重ネラレ又大連本社ノ者ヨリモ滿洲情勢ノ報告モアリ二日間デ終了シ更ニ私ハ新京經奉天ニ行キ新京デハ支社長以下ノ幹部、調査員等ト會ヒ色々情勢ヲ聞キ奉天デハ鐵路總局長兼副總裁佐藤氏以下幹部及調査員等ト會ヒ同様滿洲情勢ヲ聞キ私モ關係ノ情勢ヲ報告シタ上大連ニ歸リ一兩日調査部關係ノ人々ト會ツタ上大連カラ船デ歸國シタノデアリマス
滿洲旅行中得タ情報ハ大体次ノ如クニ分ケラレマス
(一)對ソ戰準備及其ノ中止情況
(二)滿洲ノ鐵道關係ノ狀況

(三)満洲ノ國内情勢

以上デアリマス

武 問 續テハ一對ソ戰ノ準備及其ノ中止状況ニ付キ述ヘヨ

答 所謂「新情勢ノ帝國」ノ關上聯夾ノ戰略綱關ノ統計主任

撤兵寛象

ノ輪廓ニ關スル報告中ニ簡單ヂハアリマシタガ關東軍カラ

撲滅命令カ來テ討伐ノ爲ノ準備ヲ整ヘタト云フ話カアリ

マシタカ其ノ後張天ノ鐵路總局ヲ總局長以下幹部ニ日本ノ

直面スル政治情勢ヲ話シタ所機關當局ノ部隊ヲ離ノ取計ヒ

カ有リマセヌカ特ニ私ニ對スル協議ト云フ意味デ軍命令ノ

稻葉ノ情報ヲ聞カセテ呉レルコトニナリ後藤ト鐵路關係者

等トカ説明ヲシテ呉レマシタ

其ノ際ノ後藤ノ説明ハ

七月大動員ノ始マル直前突然關東軍ヨリ満鉄ニ對シ一日十万噸宛四十日間ノ軍關係輸送ノ準備命令ガアリ満鉄デハ北支カラ三千輛ノ車輛ヲ動員シテ之ニ備ヘタガ此ノ輸送ハ最初ハアツタガ来タハ鐵カヌ兵站ニ僅少シタ三千輛ノ車輛ノ内一千輛ハ元満鉄カラ北支ニ貸シタモノデ事實ハ北支カラ借ツタモノハ二千輛デアル

ト云フニ至リマシタ問題満カラ

満鉄ハ關東軍ヨリ兵隊ヲ鐵路ノ満洲下ノ満鉄トシテ軍輛ノ

準備ヲ命セラレテヰル

~~準備ヲ命セラレテヰル~~

ト聞イタカトモ思ヒマス此ノ間ハ後藤デアツタカ判然シマセヌ其ノ他對ソ戦準備状況ニ關シテハ大連ノ會議ノ満鉄關係者等カラ七月ノ動員ニ際シ關東軍カラ満鉄ニ對シ三千

名ノ徴募者ヲ徴用スルカラ其ノ用意ヲセヨトノ命令カアリ滿鐵ハ其ノ積リデ準備シテヰタトコロ暫クスルト一千五百名デ宜シイト云フコトニナリ更ニ其後ニナルト百五十名カ五十名ニ減少サレ現實ニハ今日迄ノトコロ十數名シカ徴用サレテヰナイ

ト云フコトモ聞キマシタ又他ノ者カラハ關東軍ハ南方カラノ兵團ヲ南滿デ駐屯サセル爲宿舎ヲ準備スルヨウ滿鐵ニ命シテ來テ居ル

ト云フコトモ聞キマシタ

私ハ此等ノ事實ハ[illegible]ニ考ヘタ關特中ニハ對ソ戰ハ開始サレナイトノ決定ノ爲サレタ結果ニ基クモノト判斷シタ次第デアリマシテ此等ノ情報ハ歸京後ゾルゲニ對ソ戰中止ノ證據トシテ報告シテ居リマス

日本標準規格B4號

六　問　次ニ「滿洲ノ鐵道建設ノ狀況」ニ付キ述ヘヨ

答　鐵路總局ノ調査室デ後藤カラ鐵路ノ話ヲ聞イタ時同人ト共ニ席ニ來テ居タ建設關係ノ三十四、五才ノ男カラ鐵道建設狀況ノ說明ヲ受ケマシタ其ノ人ハ圖面入リ文書ニ基キ作ラ說明シテ與レマシタカ私ハ其ノ說明ニ依リ最近迄ノ滿鐵ノ鐵道建設カウラヂオヨリ更ニ北ニ亘ル東滿國境ニ集中サレテ居タトコロ新規建設ノ計畫ノ中ニ關東軍ノ命令デチヤムスカ又ハ其ノ附近カラ西北部國境ノ璦琿ニ至ル間ノ鐵道建設カ立テラレテ居ルコトヲ知リマシタ私ハ此ノ事實ハ注目スヘキ點デアルト考ヘタノデ歸京後ゾルゲニ會ツタ際先ニ述ヘタ對ソ戰ノ準備及其ノ途中止狀況ノ情報ト共ニ地圖ニ書キ報告レマシタカ其ノ將來ハ東部國境ニ鐵道建設カ集中サレテ居タカ此ノ新シイ鐵路計畫ニ依リ北滿カ新シイ攻

鮮ノ間島接觸トナル可能性カアルト注意ヲ喚起シテ置キマシタ

七問　被験者ハゾルゲニ對シ「主力部隊ハ今尚ウオロシロフ及ウラヂオストツクニ對スル東部國境ニ集結シテヰル」ト報告シテ居ルデハナイカ

答　左樣ニ報告シタ記憶ハアリマセヌ夫レハ前ニ述ベタ通政状況カラ見テ日本ノ攻撃地點カ依然東部滿洲國境方面ニアルコトヲ地圖ニ書イテ説明シタコトカラゾルゲカ多少ノ聽キ違ヒヲシタモノト察セラレマス

八問　尚ゾルゲニハ其ノ他滿洲ニ於ケル軍事ニ付キ報告シタノデハナイカ

答　歸京後ゾルゲカラ滿洲ノ軍隊ノ事ヲ聞カレマシタカ余リ重要ナ情報ハ持テ居リマセヌデシタカラ僅ナ報告ハ斷片的ト

ナラサルヲ得マセヌデシタ其ノ報告デ憶エテ居ルノハ

(一)直接師團名ハ知リ得ナカツタ近來師團名ハ附セラレテ居ラス只聯隊長名ヲ附シテ個々部隊トシテ居ルノデ其ノ大キサモ判リ兼ネ且ツ部隊ノ編成ノ方法モ各處カラノ混成デ形成サレテ居ルノデ何處ノ何師團デアルカモ判リ兼ネルト云フコト

(二)增援部隊ノ兵數ハ判リ兼ネルカ現有部隊ノ強化カ目標トサレテ居ルト覺エテ居ルカラ現有勢力四十万ト云フ噂ヲ基礎トスレハ八十万ニナル譯デアルカ完全ニ計畫通リ實現サレタラシクナイノデ七十万位デアラウト云フコト

鄭デアリマシテ倘ゾルゲニ對シソ聯軍ハ撤退サレタノデハナク中止サレタノデアルカラ數年ノ後ニハ又々問シ問題カ起ルト覺悟シナケレハナラヌト注意シタコトヲ覺エテ居リ

マスカ暇ハ其ノ時期デ三月ト云ツタカモ知レマセヌ
尙軍隊三千名カ北支カラ滿洲ニ送ラレタコトニ關聯シテゾ
ルゲカラ兵ノ移動ハナカツタカト聞カレタカラ北支カラ兵
隊ハ來テヰナイト答ヘテ置キマシタ

九、問　次ニ「滿洲國內情勢」ニ付キ述ヘヨ

答　大連會議ノ席上新京支社ノ下條調査員ノ報告ニ滿洲ノイン
フレーションカ此ノ一年間ニ急激ニ進ム見込デ例ヘハ此ノ
一年間ニ新舊滿洲國ニ於テ發行シタ紙幣ト國幣ノ紙幣カ發
行サレルコトニナルデアラウ
トアリ又開會前ノ席上ノ話ヤ他ノ滿鐵關係者ノ話ニ依ルト
滿洲國ノ農業政策カ思ハシクナイトノ事デアリ治安狀況モ
必スシモ良クナイトノ噂ヲ聞イタノデゾルゲニ對シテハ此
等ノ情報ヲ一括シテ滿洲ノ國內情勢ハインフレーションノ

激化ニ伴ツテ必ズシモ樂觀ヲ許サヾルモノカアルト認シテ居リマス

十、問 日米交渉ニ關スル情報蒐集狀況ニ付キ述ヘヨ

答 此ノ問題ハ長期ニ亘リ其ノ時々ニ於テ入手シタ情報ヲソルゲヤ宮城與德ニ提供シ又私自身ノ意見モ述ヘテ居ルノテ交涉ノ推移ニ應シ

一、野村大使ノ赴任事情

二、日米交涉開始

三、獨ソ開戰前後ノ交涉ノ顚末

四、獨ソ戰ノ開始ヲ契機トシテノ對米關係

五、第三次近衞內閣成立ト對米交涉

六、米英等ノ對日經濟封鎖ト日米交涉ニ付テノ私ノ見透

七、第三次近衞內閣ノ對米交涉ト日米双方ノ要求事項

八、對米申入書

九、近衞内閣ノ對米交渉ノ前途ニ對スル意向ト米國ノ態度

十、交渉決裂ノ時期南方進攻ノ時期及近衞内閣ノ前途

等ノ事項ニ分ケテ順次申述ヘマス

十一問

答

先ヅハ「野村大使ノ赴任準備」ニ關スルモノニ付キ述ヘヨ

日本政府ニアメリカト妥協シテ支那事變ヲ解決シヨウトスル考方カ起キテ來タノハ昭和十四年夏ノ日英會談ノ失敗以後テアツテ此ノ會談ノ失敗ハアメリカガ日米通商條約ノ廢棄ヲ以テ英國ヲ牽制シタコトニ原因シ日本ニトツテノ焦眉ノ問題テアル支那事變ノ解決カアメリカトノ話合ヲ待タナクレハ實現不可能ナルコトカ判明シテ來タノテアリマシテ從來ノ英國相手ノ外交ヨリ米國ヲ直接相手トスル外交ニ轉化シテ來タノテアリマス其處テ平沼内閣時代ニモ米國トノ

話合カグルー駐日米大使ヲ通シテ行ハレ掛ケタコトモアッタ位デアリマス欧洲大戦ノ勃発ト共ニ英米関係ノ緊化即チ英国ノ米国依存度ノ強化ニ伴ヒ此ノ傾向カ一層決定的トナリ政治上層部ノ間ニ米国トノ妥協ノ上ニ支那事変ヲ解決セントスル意向カ顕著ニ現ハレテ来マシタ第二次近衛内閣ハ松岡ノ政策ヲ通シテ端的ニ此ノ考ヲ実践ニ移サウトスルカニ見受ケラレマシタ松岡カ外相ニ就任スルト間モナク米国ニ於テ側背ヲ受ケ、ルーズベルト大統領トモ面識ノアル野村海軍大将ヲ大使ニ起用シテ米国ニ派遣シ対米交渉ノ素地ヲ作ルヨウ努力セシメマシタ此ノコトハ野村大使カ屡々ハル国務長官ト会見シテホルトノ当時ノ新聞ノ報道ニ依ルモ明ナトコロデアリマス

私ハ野村大使カ赴任シタ当時野村大使赴任準備ニ付キソル

ゲニ報告シテ居リマスカ其ノ要旨ハ
米國政界上層部ニ特ニ昵懇ノ間柄ニアル野村大使ヲ起用シタノハ松岡外相カ同大使ヲ通シテ對米交渉ヲ促進スル意圖ニ出テタモノニ外ナラズ日本カ支那問題ノ解決ノ為ニハ對米關係ヨリ打開スル外ニ途ナシトスルノカ近衛首相並松岡外相ノ肚ト見ラレル
以上ノ趣旨ノモノデアリマス
此ノ情報ハ當職トモ相談シタ上デソルゲニ話シテ居ルト思ヒマス此等ノコトハ野村大使松岡外相等ノ經歴カラモ推察出來ルトコロデアリ又近衛側近者ノ日頃ノ意見カラモ大体付度シ得タトコロデアリマス

十二問 次ニ「日米交渉開始」ニ關スルモノニ付キ述ヘヨ

答 日米交渉カ本格的ニ開始サレタノハ昨年四月下旬ノコトデ

アリマシテ私ハ其ノ當時ゾルゲニ對シ之ニ關スル情報ヲ提供シテ居リマス其ノ内容ハ次ニ述ヘル通リデアリマス

即チ

松岡外相ハ訪歐ニ依リ歐洲情勢ヲ明確ニ見極メテ來タ上デ愈々懸案タル支那事變解決ノ爲對米交渉ニ乗出ス意向デアツタコトハ略々間違ヒナイ處デアリ殊ニ日ソ中立條約ノ締結ノ後ハ松岡外相ノ意向ハ之ヲ以テ日本ノ一ノ有利ナル條件トシテ對米交渉ニ可ナリ高壓的ニ出ル意圖デアツタト見受ケラレ現ニ此ノ事ニ就テハ上海ノ英國字紙ニ松岡外相ハ富籤カ當ルワシントンニ乗込ミ直接政府當局又ハ米國政府當局トノ間ニ外交交渉ヲ開始スル肚デアルトノ事カ報ゼラレテキタ處デアリ此ノ事ハ支那紙ニ依ル迄モナク新聞記者其ノ他ノ消息通ノ間ニ於

々取沙汰サレタトコロモアツタ然ルニ近衛内閣トシテハ日ソ中立條約成立後松岡外相ノ歸國ヲ待タズシテ早クモ野村大使ヲ通シテ日米交渉ニ乘出シタ爲ニ松岡外相ハ歸國後自分ヲ差措イテ交渉ヲ開始シタ事ニ付キ忿懣ニ堪ヘス病氣ト稱シテ引籠リ閣議ニサヘ缺席シタトノ噂モアル

右趣旨ノ事ヲ報道シテ居ルノデアリマス

以上ノ情勢ハ主トシテ新聞關係ノ情報ニ依ツテ[illegible]キルノデアリマスカ松岡カ日ソ中立條約成立ノ成功ノ余勢ヲ驅ツテ對米交渉ニ乘出サウトノ肚デアツタコトハ松岡外相ノ歸國後隨行ノ隨員等カラ聞イタトコロデアリマス

尚其ノ他日米交渉ニ付キ支那ノ現地側ニ反對ノアツタコトモ屢々ノ間デ問題トシテ取上ゲラレマシタ卽チ元來南

京新政府ハ上海ノ經濟的地盤ニ多ク依存シ從テ上海ニ於ケル英米ノ經濟力ヨリ強イ影響ヲ受ケ新政府ノ金融、貿易、通貨等凡ユル政策ハ著シク英米ノ勢力ニ牽制サレル狀態ニアリトモスレハ重慶政府ト聯繫ヲ持ツ上海ノ經濟勢力カ英米勢力ヲ背景トシテ新政府ニ反抗スル傾向カ顯著ニ見受ケラレマシタ新政權ニ於テモ最初ノ頃ハ日本ト英米トノ合作ヲ希望スル意向モ顯ニアツタノテスカ日本ノ支那事變處理方式カ否應ナシニ斷然タル形態ヲ取リ英米ト相容レナイコトヲ主張ノ上テモ事實上テモ明ニセサルヲ得ナクナルニ伴ヒ新政權モ英米トノ提携ヲ排除スル態度ヲトリ來リツツアツタノテアリマス斯ル際ニ日本カ突然米國ト俄ニ交戰ヲ開始シタコトハ英米ノ斷絕テアル重慶政權トノ關係カラ觀テ新政權ノ立場カ微妙ニ困難トナリ國民ノ信頼ヲ失フ懼カアルバカリデナク遂ニハ新政府ノ存立ヲモ脅カサレル結果トナラサルヲ得ナカツタ譯デアリマス斯様ナ次第デ日米交渉ニ付キ南京政府ハ非常ニ危惧ノ念ニ驅ラレテ居タノデアリマシテ従テ支那ニ於ケル日本ノ現地側デモ南京政府賛成ノ立場ヲ取ツテ來タ人々ノ間ニハ近衛内閣ノ對米協調方針ニ非常ナ憂慮ト反對トカアリマシタ此邊ノコトハ本多大使カ上京シテ政府ニ對シ強硬ナ反對意見ヲ述ヘタト云フ新聞記者仲間ノ情報ヤ本多大使自身京都ニ於ケル新聞記者團トノ會見ニ於テ思ヒ切ツタ意見ノ開陳ヲ行ツタコトヤ現地ヨリノ旅行者ノ話等カラモ明瞭ニ看取出來マシタ私ハコノ現地側ノ反對ニ付テモ事實ニ即シテゾルゲニ説明シテ行ツテ居リマス

十三問　次ニ「獨ソ開戰前迄ノ日米交渉ノ顚末」ニ關スルモノヲ述ベヨ

答　四月交渉開始以來獨ソ開戰迄ノ日米交渉ノ經過ニ關スル情報ハ其ノ時々ニ於テゾルゲニ報告シテキルカト思ヒマスカ判然タルモノテハアリマセヌ若シ報告シテ居ルトスレハ其ノ内容ハ双方ノ主張ニ關スルモノカ主タルモノテアツタラウト考ヘラレマス卽チ

一、彼我間月餘頃米國ノ對案カ日本ニ寄セラレタカ其ノ内容ハ日本軍ノ支那カラノ撤兵支那ニ於ケル米國ノ權益ノ擁護及日本ノ南進中止等ノ條件ノ下ニ支那事變解決ニ付キ斡旋スル用意カアルトノ趣旨ノモノテアルコト

二、之ニ對スル日本側ノ主張ハ日米通商關係ノ正常化及從來ノ日本ノ對支主張ヲ基礎トシタ支那事變ノ解決ニ米國

ハ協力スヘキヲアルコト
等ヲアツタト思ヒマス尚其ノ相當要ナ點デハ米國ノ要求ト
シテハ米國ノ歐洲戰爭參加ノ場合日本カ三國同盟ノ解釋ニ基
キ自動的ニ戰爭ニ參加スルヲ防止セントスル要求カ含マレ
テ居タト思ヒマスカ如何ナル形テ此ノ要求ヲ提出シテ居タ
カハ記憶ニアリマセヌ
此等ノ情報ハ主トシテ支那事變以來ノ私ノ知識、經驗ニ依
リ構成シ得タトコロデスカ個別會ノ際ノ各人ノ談話ガ多少
個々ノ問題ノ判斷ニ付參考トナツテ居タコトハ事實テアリ
マス
交渉ノ經過ノ詳細ハ判リ兼ネマシタカ政府當局カ希望ヲ繋
イテ居タニ拘ラス事實ハ余リ捗々シク行ツテ井ナイトノ印
象ヲ受ケテ居リマシタ

十四問　次ニ「獨ソ戰ノ開始ヲ契機トシテノ對米關係」ニ關スルモノニ付申述ヘヨ

答　獨ソ戰ガ開始サレタ爲吾々ノ關心ハ急ニ北方ニ向ケラレマシタガ七月二日ノ御前會議ニ依リ對米交渉ハ依然繼續サレルコトニナリ又南北共ニ緊迫情勢ニアルノデ大動員ヲ行ヒ南北ニ徴兵スルコトニ決定シ對米關係ノ自体ニモ其ノ不成立ノ場合ヲ考慮シテ新ナル決意ガ加ヘラレマシタ此等ノ事實ハゾルゲニ報告シテ同人ノ注意ヲ喚起シテ居リマス

十五問　次ニ「第三次近衞内閣成立ト對米交渉」ニ關スルモノヲ述ヘヨ

答　七月中旬ノ第三次近衞内閣成立後ノ對米交渉ニ付テハ大体次ノ如キ情報ヲゾルゲニ述ヘテ居ルト思ヒマス即チ

資産凍結以後ハ對米交渉ハ極メテ急速化シテ來テ居リ諸

三次近衛内閣ノ成立ハ實ハ松岡外相ヲ閣外ニ逐ヒ出ス内閣組織ノ性質ヲ帶ビルモノデ他ニモ原因ハアルクレトモ松岡外相ノ對米交渉ノ態度ガ近衛内閣ノ方針ト步調ガ合ハナカツタコトニ最モ大ナル原因ガアル陰デ近衛首相トシテハ今後全力ヲ上ゲテ對米交渉ニ乘出スデアラウト云フ新聞ノコトヲ報シテ居リマス松岡外相ハ平沼内相柳川法相ト仲ガ惡カツタバカリデナク訪歐以後ハ近衛首相トノ間モ旨ク行カズ特ニ對米交渉ニ付キ近衛首相ガ積極的デアツタニモ拘ラズ松岡外相ハ氣乘リ薄乃至反對ノ意向ヲ示シ閣内閣僚間ニ孤立ノ狀態ヲ續イテ居タト云フ事ハ松岡外相ノ辭職ニ於ケル消息筋一般ノ觀測デモアリ殊ニ辭職ニハ松岡系ノ人ガ多イノデ何時トハナシニ左樣ナ事ヲ耳ニシ又晩餐會ノ時ノ間デモ此ノ間ノ消息ヲ聽得シマシタ

近衛首相カ對米交渉ニ一段ト努力スルデアラウトノ見透ハ近衛首相ト意思ノ疎通ヲ缺キ對米交渉ニ積極的トナツタ松岡外相カ排斥サレ豊田外相カ登場シタ事實ニ依ツテモ推セラレタ處デアリマス尤モ陸上デハ海軍出身ノ所謂艦隊派ト目サレテ居ル豊田中將カ外相トナリ左近司中將カ商相トナツタコトヲ見テ對米強硬ノ方向ヲ想像スル見方モアリマシタカ私ハ豊田中將ハ其ノ外交的手腕ヲ買ハレテ登場シタモノデアリ寧ロ對米協調主義ノ總帥ニアリ左近司中將ニ至ツテハ全ク財界人ニ過キス對米協調派ト見ルヘキデアルト觀察シテ居リマシタカ斯樣ナ意見モ併セテソルゲニ報告シテ置キマシタ

十六問

次ニ「米英等ノ獨日經濟封鎖ト日米交渉ニ付テノ見透」ニ關スルモノニ付キ述ヘヨ

答

日本軍ノ南部佛印進駐ニ伴ヒ七月二十六日米英蘭印濠洲等ノ各國カ一齊ニ日本資產ノ凍結ヲ斷行シタノデアリマスカ私ハ此ノ問題ニ關聯シテゾルゲニ報告ヲ致シテ居リマス

其ノ要點ハ

一、日本ハ一方ニ於テ對米交渉ヲ續ケ乍ラ南佛印ニ派兵シタ結果英米側ノ非常ノ憤慨ヲ買フトコロトナリ又日本側トシテモ資產凍結ハ豫期シナイトコロデアツタバカリデナク其ノ現實ノ結果ニ對スル認識ニモ缺クルトコロカアリ終ニ全面的ナ對日經濟封鎖トナルニ及ンデ著シク狼狽シ遂ニ日本ハ經濟的ニハ生死ノ關頭ニ立ツコトカ明瞭トナツタ自分ノ意見トシテハ日本ハ米國ニ對シテ屈服シテ經濟的ナ活路ヲ見出スカ或ハ斷乎トシテ米英ト戰ヒ南方ノ資源特ニ石油ヲ確保スルカノ何レカノ道ヲ選ブ外ナキ羽

目ニ陥リ日本トシテハ結局對米交渉ニ成功セスシテ南方ニ武力進出ヲ行ハサルヲ得ナイト判斷サレル其ノ理由ハ

第一ニ英米ト日本トハ共通ノ利害ヲ有シ乍ラ交渉ヲ續ケテ居ルカ實ハ其ノ主張又ハ要求ノ觀點ニハ甚シキ懸隔カアリ爲ニ現實ノ問題トシテ取上ケル場合ニハ要求ハ一致スル望ノナイコト

第二ニハ國內情勢ヨリ見テ政治ノ上層部或ハ經濟界ハ戰爭回避ヲ先ツ考ヘテ居ルカ國民一般ハ緊密ニ支那事變以來日本ノ指導者ニ依リ唱ヘラレテ來タ聖戰ノ貫徹ヲ慣シ切リ從テ對米妥協ニハ反對ナル動向ヲ示シテ居ルコト從テ三國同盟派ノ意向ハ強力ナル大衆的支持ヲ得テ居ルコト

第三ニハ日本全体社會ハ經濟的ニ極メテ急迫シテハ居ルカ部分社會タルノ陸海軍殊ニ海軍ハ當面ノ段階ニ於テ戰

モ充實シタ軍事經濟力ヲ保有シ戰爭ノ時期トシテハ寧ロ
戰上ノ條件ニ立ツヲ唱ルコト等ニヨルノデアル
以上ノ如キモノデアツタト記憶シマス
右ノ情報並意見ノ内南部佛印進駐ノ結果カ經濟封鎖斷行迄ヲモ導出スル結果トナルコトニ付キ日本側トシテハ爲ニ豫想外ノコトデアツタ點ニ付テハ滿鐵經濟關係者ノ綜合的意見ニ依ツタモノデアリマス　國民ノ意向ノ點ハ主トシテ地方ノ時情及座談會等カラノ印象ニ依ルモノデアリ其ノ他ハ警察ヨリノ知識綜合判斷ニ基イタモノデアリマス
備日本ノ石油獲得問題ハ南方進出ノ重大ナ一原因ヲ爲シテ居マスノデ現在ノ日本ノ石油保有量ヲ測定スルコトハ日米交渉ノ見透ニ重要ノ關係アル事項トシテ注意ヲ拂ツテ居リマシタ　偶々昨年八月中國滿鐵東京支社内テ「新情勢ノ日

本政治經濟ニ及ボス影響調査ー會議ノ下準備ヲシタ所上富國機關ノ報告役私カ經濟的ナ精査ノミカラ見テ日本ノ戰勝的動向ヲ決定スルノハ限リテ一般社會ニ關スル經濟單ノ經濟力ノ比重ヲ此ノ際考慮シナケレハナラヌ例ヘハ鐵ヤ石油ノ保有量生産量カ減少シテヰルノミヨリ日本ノ國際的動向ヲ判定スヘキデハナク軍部ノ此等物資保有量ヲ考慮ニ入レタ上判斷シナケレハ正鵠ハ期セラレヌト申シマシタカ其ノ數日後書閣ハ循鐵ノ私ノ關職ニ石油貯藏油量ヲ書イタ紙片ヲ持ツテ參リ此ノ調査票カラ得ハレタノヲ調ヘテ見タラ此ノヤウニナツテヰタト報セテ呉レマシタ夫レニ依ルト

民間　二百万噸　陸軍　二百万噸　海軍　八百万噸

ト書イテ居リマシタカ海軍ノ分ハ或ハ九百万噸デアツタカモ知レマセヌ　此ノ數量中ニハ揮發油、重油、原油、燈油

誤ヲ含ンタモノト思ヒマス
私ハ此ノ數字ヲ知ツタ後ゾルゲ及富城ニ日本ノ石油保有量トシテ此ノ數字ヲ示シ而説明トシテ此ノ數字ニ依レハ平時ノ民間使用量ハ四百万噸デアルカラ日本ノ民間ハ半歳後ニハ石油ハ一滴モナイコトニナルノデ石油ノミヲ見テモ南方ニ進出シテ蘭印ノ石油ヲ確保スルカ米國ニ屈服シテ石油ノ供給ヲ受ケルカ二者択レカノ道ヲ取ラサルヲ得ナイ立場ニ置カレテキルト説明シテ置キマシタ

十七、問　次ニ「第三次近衛内閣ノ對米交渉ト日米双方ノ要求事項」ニ關スルモノヲ述ベヨ

答　近衛メツセーヂナルモノカ新聞紙上ニ報道サレタ八月二十八日前後ニ於テ私ハ「ゾルゲ」ニ對シ日米間双方ノ主張ノ要點ヤ近衛内閣ノ意圖等ヲ話シテ居リマス其ノ内容ハ

一、近衛内閣トシテハ日本ノ經濟的緊迫狀態ニ鑑ミ從來ノ交渉ハ失敗トシテ根本的ニ再出發スル決意ヲ爲シ具体的ニハ双方ノ主張ヲ明確化シテ接近セシメ併テ其ノ上ニ效果ヲ上ケル機縁トシテ近衛首相自ラ出馬シテ交渉ニ當ル決意ヲ固メ之ヲ先方ニ通知シテ居ル

二、其ノ際ニ於ケル日米双方ノ主張ハ

日本側トシテハ

(1)支那問題ヲ米國ノ助力ニ依リ解決セントスルモノデア

ルカ此ノ場合ニハ從來ヨリノ近衛聲明ノ原則的主張
ヲ米國ニ於テ支持スルコト

(2) 日本ハ必要物資ヲ米國ヨリ得ルコト

(3) 日米貿易關係ノ回復

(4) 日本カ南方資源ヲ獲得スルニ付キ米國ハ斡旋ノ勞ヲ取
ルコト

之ニ對シ米國側ノ要求ハ

(1) 支那問題ニ關スル米國ノ要求トシテ日本カ支那市場ヲ
獨占スルコトナク英米其ノ他ニ對シ其ノ權益ヲ確認ス
ルコト、蔣介石政權ヲ唯一ノ政權トシテ認メルコト及
支那ヨリノ無期的撤兵ヲ行フコト

(2) 日本ハ三國同盟ヲ離脱スルカ又ハ米獨戰爭ノ場合中立
ヲ確約スルコト

(3)日本カ之以上南方ニ武力的進出ヲ行ハス又南部佛印ヨ
リ撤兵スルコト

等デアル

三、日本政府トシテハ交渉妥結ノ可能性アルモノトシテ熱心ニ交渉ヲ續ケテ居ルカ双方ノ主張ニハ相讓ラス根本的ナ相違カアリ交渉ノ成果ハ期待シ得ナイ状況ニアル

ノ如キモノデアツタト記憶シマス

右ノ近衛首相カ直接交渉ニ臨ルトノ決意ヲ固メテ之ヲ米國側ニ仄メカシタコトハ當時近衛首相カ箱根ニ於テ極秘裡ニ牛場ハ西園寺、松本等ト會見シテ意見ヲ徴シタ事實ヲ知ツテ居タ上ニ當時ルーズベルト大統領トチヤーチル首相トノ洋上會談カ行ハレタノデ之カラノ暗示モ手傳ツテ左様ニ推測シタノデスカ或ハ誰カカラ其ノ旨ノ情報ヲ直接得テ居タ

カモ知レマセヌ右ノ日米双方ノ主張ニ付テハ此レ迄ノ日米
交渉ノ経過カラ当然推察シ得タノデアリマスカ時ニハ両国
等ニ會ヒ夫レトナシニ聞キ出シテ確メタ事項モアリマシタ
其ノ聞キ出シ方ヲ申上ケレハ例ヘハ
私ノ方カラ
「日本ハ資産凍結テ苦ンテ居ル人ノ首ヲ絞メ自ラ話ヲ進メ
ルト云フ事ハナイノダカラ先ヅ資産凍結ヲ解カセテ其ノ
上デ話ヲ進メタラ宜サソウナモノデハナイカ」
ト云フト
両國等ハ
「之ハ先方ノ切札ダカラ話カ付イタラ凍結ヲ緩メヨウト出
ルノカ當リ前ダ」
ト云ヒ、又私カラ

十八、問答

問　近衞首相トルーズベルト大統領トノ會談カ「洋上會談」ノ方式ニ依ランストスルモノデアルコトハ豫テヨリ想像シテ居マシタカ九月滿洲旅行ノ際滿鐵東京支社カラノ情報文書ニ依ツテ始メテ其ノ文字ヲ見テ居リマス

次ニ「對米申入書」ニ關スルモノヲ述ヘヨ

私ハ大連ニ於ケル滿鐵ノ「新情勢」ノ會議ニ出席スル爲九月二日東京ヲ出發シ所用ヲ濟シ九月十九日頃歸京シマシタカ其ノ出發直前カ或ハ歸京ノ直後デアツタカ判然シマセヌカ西園寺ニ會ツタ時同人ヨリ日本ノ米國ニ關スル申入書ノ覺書ヲ見セテ貰フ約束ヲ致シマシタ九月下旬ノ或日夕方西園寺ニ誘ハレテ木挽町ノ待合「桑名」ニ夕食ヲ喰ヘニ行キマシタ際同人ヨリ約束ノ覺書ヲ見セラレマシタ其ノ機談ハ確カ「桑名」ノ入ツテ右側突當リノ階下離レ風ノ別間デ私

ト問題等トノ二人丈ノ時デ四國等カ紙カラ紙挿ンデアル文書ヲ其ノ儘私ニ見セテ與レタノデアリマス
其ノ文書ハブールスキヤツプノ様ナモノニ二、三枚ペン書シタモノデ六、七項ニ亘ツテ書カレテアリ鉛筆カ何カデ挿入削除ヲ行ヒ檢附ヲ加ヘタラシイ形跡ノ殘ツテ居ルモノテシタ文書ノ形跡ハ第一何々第二何々ト云フ風ニ書カレテ居タト記憶シマス　私ハ其ノ動ヲ披見シマシタ其ノ内容ハ大体私ノ儘デヨリ摘録シタトコロト同様デシタカ只全体ヲ大平洋平和協定ト云フ様ナ形デ總括セントシテヰル點及經濟關係ハ暫ク日米通商關係ノ正常化ト云フ見地カラ交渉ヲ進メントスル點カ眼新シイコトデアリマシタ　併シ只今ハ内容ノ詳細ヲ正確ニハ記憶シテ居マセヌカ大体次ニ述ヘル様ナコトカ其ノ覺書ノ要點テアツタト思ヒマス即チ

「米國ノ眞實ノ肚ハ三國同盟カラ日本カ離レテ欲シイト云フノデハナイカ」

ト云フト岡人ハ

「本當ハソウダ併シ夫レデハ新ニナラナイカラネ」

ト云ヒ更ニ私カラ

「日本ノ支那問題解決ノ條件ヲ蔣介石カ聽カヌト云フコトニナッタラドウスル、縦ヒ米國ガ斡旋シテモ支那ガ言フコトヲ聽カヌトイフコトハアリ得ル」

之ニ對シ岡人ハ

「米國ガ引受ケルカラニハ蔣介石ニ壓力ヲ加ヘテモ云フコトヲ聽カセネバ意味ハナイ」

斯イフ具合デアッテ之トテモ同シ時ニ話シタノデハナク時々斷片的ニ話シタコトデアリマシテ斯様ナ聞キ出シ方ニ依

ツテ私ノ知ラント欲スルコトヲ確メテ居ルノデアリマス
私ハ八月二十八日新聞紙ニ發表サレル迄ハ近衛メツセーヂナルモノハ全ク知ラズニ居リマシタカ新聞紙ニ報道サレタ直後同盟ニユースヤ滿鐵ノ情報デ此ノメツセーヂハ双方ノ間ニ發表シナイ約束カ出來テ居タノカ米國側ノ故意カ過失デ發表シタノデ日本政府トシテモ餘儀ナク發表シタモノデアルトノ事ヲ知リマシタカラソルゲニ會ツタ時其ノ間ノ事情ヲ話シテ居ルト思ヒマス
メツセーヂノ内容ハ是迄ノ經緯並ニ新聞記事ニ依ツテ近衛首相カルーズベルト大統領ト直接會見シテ日米間ノ所謂ヲ取除キ太平洋問題ヲ全般的ニ解決スル素地ヲ作ラウトノ提案デアツタコトヲ知リマシタカ此等ノ點ニ付テモゾルゲニ話シテ居ルト思ヒマス

第一、太平洋平和協定ノ締結ノ意味ノ表ハレテヰル事項
第二、日米間ノ通商關係ノ正常化ノ事項
第三、日本ノ國際的地位ニ關スルモノデ米獨開戰ノ場合ニ日本カ之ニ捲キ込マレサル含ミヲ持ツタ事項
第四、西南太平洋ニ關スル日本ノ經濟的要求ニ付キ米國ノ協力ヲ求メタ事項
第五、支那關係處理ニ關スル事項ニシテ從來ノ近衞內閣カ內外ニ對シテ主張シテ來タ要點即チ善隣友好、經濟提携、共同防共ノ原則、各國ノ經濟機會及撤兵ノ原則等ヲ示シタ事項

以上ノ如キモノデアツタト記憶シテ居リマス
私ハ此ノ覺書ハ一覽シタ上テ其ノ場テ直ニ西園寺ニ返還致シマシタカラ詳細內容ハ書取ツテ居リマセヌ

西園寺カラ覺書ヲ見セラレタ時ハ前ニ述ヘタ通リ同人ト二人丈ケデシタカ其ノ席ヘ西園寺ノ知合ノ婦人カ來タノテ除イテ渡シタ様ニ思ヒマス

食事ハ其ノ婦人ヲ加ヘテ三人デ致シマシタカ給仕ノ爲ニ藝妓一人モ所ニ來タカトモ思ヒマスカ此ノ點ハ判然シマセヌ

其ノ際ハ食事ヲ共ニシタ丈ケデ都合ニ早ク退出シタ記憶テス

其ノ後月末位ニゾルゲ宅ニ連絡ニ行ツタ時ゾルゲニ申入書ノ覺書ヲ見タ事ヲ話シタトコロゾルゲヨリ其ノ内容ヲ問ハレ自分トシテハ咄嗟ニ問ハレテ多少狼狽氣味テ取敢ヘス思ヒ出シテ話シマシタノテ從テ其ノ表現ハ可ナリ不正確トナラサルヲ得マセヌテシタ

尙ゾルゲヨリ誰カラ見セラレタカ聞カレマシタカラ近衞側近者カラ見セテ貰ツタト云ツテ置キマシタ

十九問

尚此ノ申入書カ國家ノ重要權益ニ係ルモ次ノテアルコトハ勿論充分判ツテキタコトテアリマス

ソルヴノ此ノ點ニ關スル報告書ニハ「オットハ米國向ケ申入書ヲ提タ。故ニ書類ハ具体的ナル申入事項ヲ含ンテ居ラス單ニ日米交渉ニ於テ取扱ハルヘキ一般的問題ノミヲ記載サレテアツタモノテアル。第一點ハ一般的ニ太平洋平和ヲ取扱ヒ日米兩國間ニ一種ノ不可侵條約的協約ノ提案ヲ記シテキルカ太平洋上ノ平和維持ノ他ノ形ニ依ツテ締結スル余地カ殘シテアル

第二點ニハ世界戰爭ニ於ケル日本ノ立場ヲ取扱ヒ戰ル情勢ノ下ニ於テハ日本ハ歐洲ニ對シテ關心ナ示サソル用意アル事ヲ暗示シ第三點ニハ日本ハ西南太平洋主トシテ蘭印カラ原料ヲ得ルノ必要アル事ヲ指摘シ第四點ニハ支那ヨリ撤兵問題ヲ余部保留ノ上支那問題ノ解決ヲ指摘シ

テ居ルカ一方中支及個支ノ或地方カラ撤退ノ用意アルコト
ヲ暗示シ第五點ニハ經濟ニ於ケル米國ノ權益ヲ採リ上ゲソ
レヲ如何ニシテ保護スルカヲ指摘シ第六點ニハ條約ノ形式
ヲ含ンデ居ルモノデアル」ト記載サレテ居ルカ如何

答

質問ノ「オツト」トハ私ノコトニ間違ヒアリマセヌ　ソレ
ハ上海時代　アグネス・スメドレーカラ吾々ノ間デハ貴方
ノコトヲ「オツト」ト言ツテ居ルト言ハレタコトカアリ又
ゾルゲトノ永イ間ノ交際中ニ左樣ナ言葉デ自分ヲ呼ハレタ
記憶モアリマスカラ私ニ間違ヒアリマセヌ
申入書ノ内容トシテゾルゲカ報告書ニ記載シタ諸點ハ私ノ
報告ニ基礎シタモノニ間違ヒナイト思ヒマス　多少私ノ記
憶ト相違スル點モアリ升マスカソレハ私カ其ノ外ニ色々說
明ヲ加ヘタノデ左樣ナコトニナツタモノト考ヘマス　ゾル

ゲノ報告書ノ第一點ハ先ニ第一トシテ申上ケタ内容ニ、第二點ハ第三トシテ申上ケタ内容ニ、第三點ハ第四トシテ申上ゲタ内容ニ夫々該當シ第四點ハ第五トシテ述ヘタ事項ニ關スル私ノ說明ノ要點ヲ取ツタモノデアリ第五點ハ第五トシテ述ヘタ事項ノ一部ニ關スル私ノ說明ノ要點ヲ取ツタモノデアリマス　第六點トシテ「條約ノ形式ヲ含ンテヰル」トアルノハ條約ノ手續ニ關スルモノデアルト云フ意味デアルト思ヒマスカ私トシテハ左樣ナ事項カ西園寺ヨリ見セラレタ覺書ニアツタカ否カ只今ハ記憶ニアリマセヌ

二七、問　被疑者カ西園寺ヨリ對米申入書ニ關スル覺書ヲ見セラレタ當時西園寺ハ如何ナル地位ニ在ツタノカ

答　當時西園寺ハ内閣囑託ト外務省囑託ヲ兼ネテ居リ的確ニ其ノ地位ハ判リ兼ネマスカ主トシテ對米交渉ニ關スル近衞首

相ノ仕事ヲ直接手傳ツテ居タト推察シテ居リマシタ當時両人ハ首相官邸ニ一室ヲ與ヘラレ牛場秘書官ト協力シテ事ラ外交方面ノコトニ當ツテ居タ事ハ間違ヒナイ事實テ私モ昨年九月頃二回位首相官邸ノ西園寺ノ部屋ニ行ツタコトモアリマスノテ両人ノ仕事ノ性質ハ承知シテ居マシタ

西園寺トシテハ私ニ申入書ノ内容ヲ見セテ私ノ意見ヲ求メル心組テハナカツタカト察セラレマスカ現實ニ申入書ヲ見セラレタ時私ハ「コンナモノデセウネ、中々良ク出來テキマスネ」ト言ツテ別段ノ意見ハ述ヘスニ直ニ返還シタ次第テス

三十一、問　次ニ「近衛内閣ノ對米交渉ノ前途ニ對スル意向ト米國ノ態度」ニ關スルモノニ付キ述ヘヨ

答　私ハ満洲旅行ヨリ歸京ノ直後ゾルゲヲ訪問シタ際此ノ關係

ニ付テノ情報及意見ヲ提供シテ居リマス
其ノ内容ハ
一、對米交渉ハ目下停頓シテ居ルソレハ若杉全權公使カ急遽歸國シ政府及軍部ト話合ツタ上歸任シタコトニ依ツテモ判ル若杉ハ懸案ノ支那問題ヤ日本ノ南進中止ノ問題等ニ付テ米國トノ間ニ何等カ具体的ナ妥協案ヲ持ツテ居ルト觀測サレル妥協案ト云フノハ日本カ讓歩シテ中南支ヨリ軍隊ヲ撤退シ且ツ南部佛印ヨリ撤兵スルコトヲ承認スル内容ノモノト推セラレル但シ之レニ付テハ若シ妥協不成立ニ終レハ陸海軍共一致シテ軍事行動ニ出テル決意ノ下ニ政府トノ間ニ話合カ出來テ居ルモノト觀察セラレル
二、米國ノ態度ハ日本ノ緊張ニ引替ヘテ何トナク餘裕カ見エ交渉ノ妥結ヲ期シテ居ルコトハ勿論ナルモ交渉ノ條件及

熱望ニ於テ日本側トハ非常ニ懸隔カ存シテヰル
共之ニ對シテ日本政府側ノ觀測テハ交渉ノ前途ニ困難ヲ認メ作ラモ條件ノ提示ニヨリ交渉ノ將來ニ相當ノ希望ヲ持ヲ得ルモノトシテヰル如ク觀察サレル

以上ノ如キモノテアツタト記憶シマス　此等ノ情報ハ主トシテ滿洲旅行中滿鐵關係者ヨリ得タニユースト前カツノ經過ノ綜合判斷ニ基イタモノテアリマスカ特ニ第三項ハ滿鐵關係ノ情報ニ成立ノ可能性カアルト爲サレテヰタバカリテナク當時滿團等モ同様ノ見解ヲ持ツテ熱心ニ交渉成立ニ努力シテヰタノテ右ノ通リ政府筋ノ觀察トシテゾルゲニ報告シタノテアスカ私トシテハ成立ノ可能性ハ概メテ乏シイモノテアルトノ意見テシタカラ此ノ意見ヲ附加シテ報告シテ居リマス

第十二問　次ニ「交渉決裂ノ時期南方進攻ノ時期及近衛内閣ノ前途」ニ関スルモノニ付申述ヘヨ

答　私ハ日米交渉ハ近衛内閣ノ発表ノ可能性ニ付テノ楽観的観測ニモ拘ラス早クヨリ必ス決裂スルモノト考ヘ而モ政府ハ陸海軍側ヨリ交渉ニ期限ヲ附セラレテ居ルノテ其ノ時期ニ付テハ細心ノ注意ヲ払ヒ交渉ノ決裂ニ次キ南方軍事行動ノ開始サレル時期ヲ十月末頃ナラウト観察シテ居リマシタカラ此ノ観察ヲゾルゲニ話シテ居リマスカ此ノ時期ノ点ニ付テハ種々ノ説カ行ハレテ居マシタノテゾルゲニハ最初ハ九月一杯或ハ十月一杯ト述ヘ特殊ノ場合トシテハ十月上旬説サモ述ヘテ居リマス

然ルニ十月上旬ニ至リ種々ノ情勢カラ十月一杯トスル観察ニハ危険カアルト考ヘ宮城ヲ通シテ今年末迄待ツテ見ナク

レハ南方武力進出ノ有無ハ遂ニ決定シ難イト話シテ居リマス、右ノ十月末頃ニ付テハゾルゲニハ近衞側近者ヨリ聞イタ如ク答ヘテヰルカト思ヒマスカ私自身ハ滿洲旅行ノ途次偶々同船シタ滿鐵ノバンコツク駐在員磯崎ヨリ南方ハ二月ヨリ五月迄ハ酷熱ノ時期テ日本人等ハ三十分ト戰爭ヲ續ケラレマイト聞イタコト及之ニ關聯シテシンガポール陷落迄ニ要スル軍事行動ノ期間ヲ三ケ月ト見テ遅クトモ十一月上旬ニハ軍事行動ヲ開始スルデアラウトノ見織ヲ立テ日米交渉ノ期限ヲ十月末ト判定シテヰタノデス併シ何等カノ機會ニ西園寺ニモ確メタ上テ左様ナ意見ヲ樹テタトモ考ヘラレマスノテゾルゲニハ近衞側近者ノ言トシテ傳ヘテ居ルモノトモ考ヘラレマス十月上旬頃ハ海軍方面ノ意見トシテゾルゲニ報告シテ居リマスカ其ノ理由ハ滿洲旅行ヨリ歸ツタ

閣總辭職ノ日室テ同僚ノ藤井茂海軍大佐ト會談シタ際私ヨリ十月末說ヲ越ヘルト藤井ハ「海軍トシテハ十月一杯迄ハ待タレヌ十月ノ初デスヨ」ト云ヒマシタノデ海軍方面ノ十月上旬行動開始意見トシテゾルゲニ話シテ置イタノデアリマス

日米交渉ノ期限ニ關シテハ從來私ハ十月末說ヲ取リ從テ南方武力進出ノ時期ハ十一月頃ト推定シテ之ヲゾルゲニモ亦宮城ニモ話シテ居リマシタカ十月ニ入ツテモ其ノ氣配カ見ラレス日米交渉ハ相變ラス浮動ノ狀態ヲ續ケテ居ルノテ又モヤ期限カ延ヒルテアラウト考ヘ且ツ南方ノ武力制壓ニ要スル軍事行動ノ期間ニハ伸縮性ノ余地モアルト考ヘタノテ日本ノ石油貯藏補給ヤ南方ノ氣候等ヲモ綜合シテ十二月一杯ヲ其ノ期限トシテモ決シテ遲クナイカモ知レヌト觀察シ

據テ十月末迄ニ訂正スル必要ヲ感シテ其ノ旨ヲ宮城ニ話シテ置イタノデアリマス

日米交渉ノ成否ト近衛内閣ノ前途ニ關シテハゾルゲニ對シ日米交渉ノ見透ハ双方ノ見解カ隔ツテ居ルノデ不成功ニ終ルト思フガ妥協ニヨツタラ成立スルカモ知レヌ併シ假ニ成功シタトシテモ夫レハ支那事變ノ失敗米國ニ對スル屈服トナルノデ國民ノ不滿ヲ招キ近衛首相ハ其ノ責任ヲ問ハレルデアラウト云フ意見ヲ述ヘタコトモアリマス

十月上旬ゾルゲニ會ツタ時ニハ近衛内閣ハ日米關係ヲ非常ナ危機ニ直面シテ居リ其ノ重點ハ日本軍ノ中支及南支カラノ撤退ナル米國側ノ要求ヲ容レルカ否カニ懸ツテ居ルノデアツテ之ハ軍部ハ勿論國内政治動向ノ許サザルトコロデアリ此ノ爲消息通ノ間デハ既ニ内閣總辭職ノ噂サヘ頻リニ行

ハレテ居ルカ爲ニ爲セントスル者ノ策動トモ見ラレル節カナイデモナイ點カラ未タ遽ニ判定シ難イト謂ヘテ置キマシタ

尙日米交渉ノ成否カ米國ノ要求スル日本軍ノ中支及南支ヨリノ撤兵問題ニ懸ツテ居タコトハ事實テ世間テハ此ノ問題ノ爲政府ト軍部トノ間ニ交渉カ纏ラス結局近ク近衞内閣ハ總辭職スルト取沙汰シテ居タコトハ右ニ述ヘタ通リテアリマスカ私ハ此ノ問題ニ關シ實地ニハ

世間テハ今ニモ軍部ト政府側トノ意見ノ對立テ日米交渉カ決裂シタリ内閣カ總辭職ヲシタリスル様ニ言ツテ居ルカ此ノ問題ニ付テハ元來軍ト政府トノ間ニ同意カ儲サレテ居タ筈テ政府ハ軍トノ話合ニヨツテ撤兵問題ハ解決スルモノトノ見透シテ日米交渉ニ努力ヲ續ケテ居ルノテア

ルカラ遂ニ交渉カ決裂シタリ内閣カ總辭職スル様ナ事ハナイト思フ

ト注意ヲ與ヘテ居リマス

要スルニ私トシテハ日米交渉ハ必ス決裂スルモノト見透シテハ居リマシタカ其ノ時期ノ點ニ付テハ十月上旬頃ニ於テハ更ニ紆餘曲折ヲ經タ後ノコトテアルト觀察シテ居タ次第テス

検事訊問調書（三月十二日）

被疑者 尾崎秀實

一、問 其ノ他昨年中ニ於ケル政治外交ニ関スル情報蒐集ニ付キ述ヘヨ

答 是迄申述ヘテ来タ以外ニモ政治外交ニ関スル情報ヲ蒐集シテゾルゲニ報告シタルモノハ多々アルト思ヒマスカ其ノ内

ナ

一、泰佛印停戦協定問題

二、南部佛印進駐問題

三、アメリカ油槽船ノ津輕海峡通過問題

四、山下奉文中將ノ獨伊訪問及滿洲轉出問題

二、問 先ツ泰佛印停戦協定ニ付キ述ヘヨ

答

昭和十六年一月下旬日本ノ調停ニ依リ泰及佛印間ノ國境紛爭カ一應停戰協定ノ成立ヲ見タノテアリマスカ其ノ經過ノ裡ヲ私ノ考ヘタコトハ日本カ此ノ紛爭ヲ利用シテ豫テヨリノ狙ヒテアル南方進出ノ爲ノ前進基地獲得ニ乘リ出スノテハナイカト云フコトテシタ卽チ泰ヲ援ケテ佛印ヲ牽制スルコトガ日本ノ基本ノ方式ト考ヘラレマシタカ若シ其ノ際佛印カ日本ノ要求ヲ容レナケレハ日本ハ武力ニヨル進出ヲ試ミルト共ニ泰ニ對シテハ其ノ代償トシテ軍事的基地ヲ提供セシメヨウトシテヰルモノト考ヘマシタ然ルニ左樣ナコトモナク又特別ノ秘密協定ト云フ樣ナモノモナシニ停戰協定ノ成立トナリマシタ此ノ事情ハ前記ノ情報等カラ大體知リ得タコトテザルゲニハ停戰協定ニハ何等秘密協定ハ付加サレテヰナイト報告シテ聞キマシタ併シ此ノ事ハ日本ノ南

進中止ヲ示スモノデハナク日本ハ必ス將來此ノ調停ヲ契機トシテ泰ニ對シ何等カノ要求ヲ爲ステアラウトノ私ノ觀察デモゾルゲニ話シテ居リマス

三、問　日本ノ南部佛印進駐ニ關スルモノニ付キ述ヘヨ

答　昭和十六年一月末ノ泰佛印停戰成立後ヨリ七月末ノ日佛共同防衛ノ成立迄ノ間ニ於テハ佛印ノ空氣ハ非常ニ惡ク佛印當局ノ惡化シテキルノハ勿論佛印人ノ排日感情モ顯著トナツテ來テ居リ他面在留日本人及出先軍部等間ニハ積極的ニ事態ニ對處スヘシトノ強硬主張カ行ハレテ居ルトノ新聞報道ヤ旅行者其ノ他ノ噂カアリマシタカラ此等ノ情勢カラ私ハ佛印ノ排日感ハ日本人ニ對スル迫害等ヲ契機トシテ日本ノ軍事的南進カ起サレルノテハナイカト考ヘゾルゲニハ私ニ解レ右ニ述ヘタ情勢ト共ニ此ノ意見ヲ述ヘテ置キマシタ

七月二日ノ御前會議以後陸海ノ情勢カラ日本軍カ南方ニ對シテ動キツヽアル事ヲ知リマシタカ此等南進部隊ハ臺灣、海南島、南支方面ニ一先ヅ待機シ南佛印進駐ノ時期ヲ狙ツテ居ルモノト觀察シテ居タトコロ現實ニハ日佛印共同防衛ノニ基ク南部佛印進駐トナツテ現ハレマシタ日本軍カ斯樣ノ名目ヲ日佛共同防衛ノ形式ニ取ツタコトハ全ク私ニハ豫想外デアリマシタ

四、問

アメリカ油禁輸ノ[illegible]問題ニ付キ述ヘヨ

答

米國ノソ聯ニ對スル軍事的援助ノ現レトシテ石油ノ供給カ行ハレルコトニナリ昭和十六年八月上旬ニハ日本ノ新聞紙上ニモアメリカノソ聯向油輸送カ出航シタトノ外電カ揭ケラレルニ至リマシタ

此ノ爲國内ニハ米國カ[illegible]石油禁輸ヲ行ヒ乍ラソ聯ニ對シ

テハ之ヲ供給スルト云フ頃日不信態度ヲ露骨ニ示シテヰル
コト並ニアメリカノ潜水艦カ日本ノ領海ノ津軽海峡ヲ通過シ
テウラヂオストツクニ入ラントシタコトニ對シ對米人反感
カ昂リ又之ヲ審議スル處ノアル政府ノ態度ニ對スル非難ノ
聲モ起ツテ來マシタ政府ハ此ノ關係ニ付テハ新聞記事掲載
ヲ禁止シテ輿論ノ激昂ヲ抑ヘヨウトシマシタ其ノ當時私ハ
ヅルゲニ此ノ情勢ヲ話シマシタトコロヅルゲハ日本カ此ノ
問題ニ付キ米ソニ對シ抗議ヲ提出スルコトハアルデアラウ
カ若シ一歩ヲ進メテ逮捕又ハ撃沈スルノ擧ニ出タナラバ大
問題トナルデアラウカラ注意ヲ要スルト申シマシタカラ私
ハ日本ノ政府ノ態度ハ國民ヲ出來ル限リ刺戟シナイ樣努メ
テヰル状態ニアルバカリデナク若シ左樣ナ擧ニ出ルトスレ
ハ米國トソ聯トヲ同時ニ敵ニ廻サナケレハナラヌノデヨモ

ヤ左様ナ行動ニハ出テナイテアラウト意見ヲ述ヘ猶八月中旬ノ北海道旅行ノ際アメリカノ油槽船ハ津軽海峡ヲ通過スルモノトノ印象ヲ與ケタノテ油槽船ハ津軽海峡ヲ通過スルテアラウト付加シテ置キマシタ

五、問

山下奉文中将ノ独伊訪問及満洲転出事情ニ関スルモノヲ述ヘヨ

答

航空総監山下奉文中将ハ昭和十五年十二月独伊訪問ノ途ニ上リマシタカ同中将ノ訪独伊ノ使命ニ関シ当時新聞記者仲間ノ情報テハ主タル點ハ空軍ヲ視察シテ日本空軍ヲ技術的ニ改良セントスルニ在ルト謂ハレテ居リマシタカラ世ノ噂テゾルゲヤ宮城ニ話シテ居リマス又山下中将ハ軍部内ノ派閥カラ言ヘハ所謂皇道派ニ近ク優秀ナ人物ヲ軍部テモ同中将ヲ重用セサルヲ得ナイテアラウト兼テヨリ考ヘテ居リマ

シタカラゾルゲヤ宮城ニモ此ノ點ヲ說明シテ置キマシタ
山下中將ハ獨ソ戰勃發後歸朝シマシタカ當時消息通ノ間ニ於テハ陸軍テハ歐洲情勢ノ變轉並ニ之ニ關聯シテトルヘキ日本ノ國策ノ決定ニ付松岡外相ノ意見ヨリモ寧ロ山本中將ノ意見ニ期待ヲカケテヰルト云ハレテ居リマシタカラ此ノ情報モゾルゲニ傳ヘテ居リマス
山下中將ハ七月頃滿洲轉出トナリマシタ此ノ事ハ勿論公表サレマセヌテシタカ私ハ滿鐵內ノ情報テ之ヲ知リマシタ私ハ防歐中山中將カ獨逸軍部ト何等カノ密接ナ連絡ヲ付ケテ來タモノト察シ同中將ノ滿洲轉出ニハ豫想サレル日ソ戰ニ重大ナ關係ヲ有スルモノト判斷シ其ノ旨ヲ當時ゾルゲニ報告シマシタ又山下中將ノ出先ニ於ケル位置ハ日ソ問題ノ見地ニ關係カアルノテ此ノ點ニモ注意ヲ拂ヒマシタカ結局判

リマセヌデシタ

究備　汪兆銘工作ニ關スル諜報活動ニ付キ述ヘヨ

答　昭和十三年春頃ヨリ當時同盟上海支局長デアツタ松本重治ト南京政府亞洲司長高宗武トノ間ニ日支間ノ平和回復ニ關スル努力ガ拂ハレテ來マシタ當初高宗武ハ蔣介石ヲ引出ス意圖デアツタ様ニ察セラレマシタガ其處ヘ周佛海等ガ合流シタコトニ依リ汪兆銘派ノ運動ニ變形シ奥地ニ居ル汪兆銘トノ間ニ密接ナ連絡ヲ生シツヽ行ハレテ來マシタ而シテ此ノ運動ニハ上海ニ於ケル日本特務機關モ關聯ヲ持チ影佐少將モ參加スルニ至ツタノデアリマス昭和十三年春ニハ高宗武ガ秘ニ渡日シ下相談ガ進メラレ松本重治等ノ斡旋ニ依リ近衛内閣モ直接工作ニ携リ松本重治ノ友人デアル犬養健西園寺公一等モ直接交渉ノ當事者トシテ之ニ參加スルニ

至リマシタ私ハ此ノ工作ニハ直接參加シナカツタノデスカ犬養西園寺等ト友人關係ニアツタコトヤ近衞內閣ノ囑託デアツタコトカラ此ノ間ノ情況ヲ屢々耳ニシ又同人等ヨリ此ノ工作ニ付テ意見ヲ求メラレテ居リマシタ然ルニ日支關係ハ全面的和平ノ望カナク長期戰ノ形ヲ取ツテ來タノデ近衞內閣トシテハ一面蔣介石ニ對スル未練カアリ乍ラモ汪兆銘工作ニ力ヲ注グコトヽナリ茲ニ汪兆銘ハ日本側ト連絡ヲ取リツヽ重慶ヨリ昆明、越南ヲ經テハノイニ脫出シ昭和十三年十二月二十三日ノ近衞首相ノ更生支那トノ國交調整ニ關スル聲明ニ呼應シテ同年十二月三十日重慶ニ對シ通電ヲ發スルニ至リマシタ

近衞內閣ハ昭和十四年一月總辭職シ平沼內閣トナリマシタカ汪兆銘工作ハ其ノ儘平沼內閣ニ引繼カレ現地ノ軍部外務省

興亜院ノ参加ノ下ニ前線ノ影佐氏ニヨリ交渉カ継続サレ昭和十四年春ニハ汪兆銘ノ上海脱込ミニ次イデ同年初夏頃ニハ汪兆銘ハ秘ニ上京、近衛公、平沼首相等ト会見シテ上海ニ帰ツタ上国民党ノ大会ヲ催シ秋ニハ青島会談カ開カレ次イデ翌十五年三月三十日南京ニ於テ国民政府ノ還都式カ挙行サレ翌ニ阿部全権大使ノ派遣トナリ同大使ト汪兆銘政府トノ間ニ正式交渉カ行ハレ遂ニ同年十一月三十日汪兆銘ノ新国民政府ニ対スル日本ノ正式承認トナリ日華ノ間ニ條約成立ヲ見タノテアリマス併シ乍ラ此ノ間ニ於テモ蒋介石トノ直接交渉及地方軍閥工作等カ汪兆銘工作ノ進展ト並行シテ依然トシテ行ハレテ来テ居リマシタ

私ハ先ニ述ヘタ通リ汪兆銘工作関係ニ付テハ西園寺、犬養其ノ他ヨリ其ノ時々ノ情勢ヲ聞キ之ヲソルゲニ報告シテ居

リマス、何時如何様ニ話シタカ詳細ハ記憶シテ居リマセヌカ大体次ニ述ヘル趣旨ノコトハ聞カレル儘ニ話シテ居ルト思ヒマス即チ

(一)汪兆銘ノ重慶脱出以前ノ時期ニ於テ、現在日本政府ト重慶ニ居ル汪兆銘トノ間ニ和平ニ関スル工作カ秘ニ進メラレツツアルコト

(二)昭和十三年十二月頃

近衛首相ノ更生新支那トノ国交調整ニ関スル声明ト汪兆銘通電トハ両者ニ於テ示合ハセテ為サレタモノテアルコト

(三)近衛声明ノアツタ昭和十三年十二月ヨリ翌年二月頃迄ノ間日本側ノ無賠償、非併合ノ理想的声明ニ付テハ軍部及国民ノ間ニ相当強イ不満ノ存スルコト

(四)汪兆銘等ガ近クハノイヨリ上海ニ乗込ンデ来ルコトニナツテヰルコト
汪兆銘ノ上海乗込以前ノ時期ニ於テ

(五)昭和十四年初夏頃ニ於テ現在汪兆銘ガ竊ニ上京シテ居リ近衛公平沼首相等ト會見シテ和平ニ關スル交渉ヲ爲シテヰルコト

(六)青島會談ノ行ハレタ當時
北支政權ト南京政府トノ間ニ意見ノ相違ガアリ北支側トシテハ汪兆銘政權ノ傘下ニ入ルコトニ反對デアルコト

(七)昭和十五年春頃
日本トシテハ蔣介石トノ和平ニ未練ヲ持チ未タ本當ニ肚ヲ決メナイ爲ニ蔣介石トノ間ノ交渉ニ一應見切リヲ付ケテ汪兆銘ト話合ヲ爲シテヰルコト

(八)昭和十五年春頃

汪兆銘ハ上海財界支持ヲ得ルノニ努メテ困難シテキルコト

(九)昭和十五年春頃

日本ノ經濟政策ト汪ノ經濟的要求トカ乖離シテキル爲メ汪ノ經濟的基礎ハ極メテ脆弱テアルコト

(十)汪兆銘ノ國民政府承認後間モナイ頃

日本ノ汪政權承認ニ依リ國民政府ハ正式ニ成立ヲ見タモノゝ同政權ニハ若イ有能ノ士ノ參加カナク從テ將來ノ發展性ニ乏シク且ツ陳公博ト周佛海ノ間ニ勢力ノ對立關係カアリ同政權ニハ不統一ノ存スルコト

等ノ情報ヲ其ノ都度ゾルゲヤ宮城ニ關シテ居リマス

此等情報ハ多ク西園寺公一犬養健其ノ他カラ得テ居リマス

カ滿鐵調査部ニ集ツタ情報中ニモ之ニ關スルモノカアリ尚

私ノ現地ニ於ケル關係モ大ニ密接ニナツテ居リマス日本側ト支那側トノ間ニ於ケル交渉内容等モ其ノ時々ニ應シ入手シテゾルゲニ報告シテ居リマシタカ日華間ニ進メラレテ居タ條約關係ノ文書資料ハ西園寺及犬養ヲ通シテ入手シ宮城ヲ通シテゾルゲニ報告シテ置キマシタ

七問　然ラハ日華條約關係資料ノ入手ニ付キ述ヘヨ

答　日華條約ノ資料ハ二回ニ亘ツテ入手シテ居リマス

第一回目ハ昭和十四年ノ春時分ノ事テ西園寺ヲ通シテ入手シタノテアリマス、既ニ申述ヘタ通リ西園寺ハ汪兆銘工作ノ民間有志トシテ早クヨリ其ノ工作ニ參加シ熱心ニ努力ヲ續ケテ來タ關係テ日本側ト支那側トノ間ニ於ケル各種ノ取決メニハ直接參加スル立場ニ在リ而モ私ト西園寺トハ密接ナ關係ニアツタハカリテナク私自身モ近衛内閣以來汪兆銘工作ニ多少ノ關係ヲ有シテヰタ事情ニアツタノデ内閣囑託ヲ解カレテカラ後モ時々[illegible]ヨリ依頼ノ[illegible]聞カサレ私ノ意見等モ求メラレテ居リマシタ其ノ後昭和十四年春頃ニ至リ現地ニ於テ日本出先ト汪兆銘側トノ間ニ國交調整ニ付テノ取決メカ成立ヲ見タノデアリマス私ハ其ノ頃自分ノ方カラ申ヒ出シタカ否カハ記憶シマセヌカ兎モ角西園寺ヨリ右兩者間ノ取決メノ譯ヲ見セテ貰フ約束ヲシ興津ノ西園寺邸ヲ訪レ其ノ取決メノ譯ヲ借受ケテ自宅ニ持歸リ之ヲペンデ筆寫シシタノデアリマス。

西園寺ヨリ借受ケタ文書ハ四百字詰大型原稿紙二十枚位ニペンデ書カレテ居リ其ノ文書ハ條約ノ本文ノ部分ト其ノ附屬ノ秘密交換文ノ如キモノ三、四部ヨリ成リ内容ノ詳細ハ失念シテ了ヒマシタカ昭和十五年一月陶希聖カ香港大公報ニ發表シタモノト内容ハ略同一デ實質ニ互助連關、善隣友好、共同防共等ノ基本的ナモノヲ掲ゲテヰタ外北支及蒙疆ノ戰略地點ニ日本ノ駐兵權ヲ認メル特殊占領地域ニ於テハ治安ノ確立ヲ條件トシテ日本軍ノ撤兵ヲ行フト云フ條項並ニ中央ノ三角地帶ノ問題等ヲ含ンデ居リ附屬文書中ニハ海關稅ニ關スルモノヲ含ンデ居タコトヲ記憶シテ居リマス西園寺ヨリ見セラレタ文書ハ直ニ同人ニ返還シ自分デ複寫シタモノハ其ノ後間モナイ頃自宅デ書齋ニ放置シザルダニ燒却サセマシタガ開戰ニナツテカラ同人ヨリ返還ヲ受ケ自宅ニ保存シテ居リマシタガ十五年夏頃自宅デ燒却シマシタ第二囘目ハ昭和十五年九月頃ノコトデ大使館ヲ通シテ入手シタノデアリマス日華關係ノ調整ニ關スル本格的交渉ハ同年七月頃カラ南京ニ於テ阿部全權大使ト汪兆銘トノ間ニ於テ遣メラレテ居リマシタガ犬養ハ岡大使ノ隨員トシテ南京ニ赴キ交渉機關ノ一人トシテ會議ニ參加シテ居リマシタ現地ニ於ケル交渉ハ八月末一應纏リ條約案カ出來上ツタノデ九月頃ニハ犬養等委員ハ其ノ案ヲ携ヘテ上京シ興亞院、外務省、軍部等ノ關係者ト會議ヲ開イテ日本內部ノ最後的檢討ヲ加ヘテ居リマシタ其ノ當時又私ハ犬養ト時々會ヒ其ノ模樣ヲ聞イテ居リマシタカ同人ハ內地側ノ態度ニ付キ日本人ノ手ニ掛ルト小ウルサイモノニナル傾向カアルト言ツテ愚痴ヲ零シテ居リマシタ、其ノ當時ノ麴町區谷南町ノ犬養邸ヲ訪問シタ時同人ヨリ一度之ヲ見テ意見カアツタラ參考ノ爲聞カセテ與レト言ハレテ條約關係ノ文書ノ綴ヲ見セラレタノデ私ハゾルゲニ報告スル目的デ一寸貸シテ與レト言ツテ借受ケテ歸リ滿鐵ノ自分ノ部屋デ內容ヲ一覧シマシタカ時間カ経カツタノデ重要部分ダケ小型ノ「ルーズリーフ」ニ書取リ原本ハ其ノ日ノ夕方[illegible][illegible]ノ[illegible]次夫[illegible]邸ニ立寄ッテ返還シ書取ッタ「ルーズリーフ」ハ山王下「山王ビル」内安藤研究所デ備品ニソルダニ複製サス為ニ渡シテ置キマシタカ其ノ後[illegible][illegible]ヨリ返還ヲ受ケタカ否カノ記憶ハ判然シマセヌ

大変ヨリ見セラレタ文書ハ罫判紙六、七枚ニ謄寫刷リシタモノデ其ノ後修飾トシテ公表サレタモノ及ビ之ニ附属スル秘書ノ増補ノ如キモノカラ成ッテ居マシタカ交換文カアッタカ否カハ判然記憶シマセヌ兎ニ角其ノ後整理サレタ條約ニハ書カレテ居ナイ秘密ノ取決メカ加ッテ居タコトハ間違ヒアリマセヌ

其ノ内容ノ詳細ハ只今ハ記憶シマセヌカ前ニ西園寺カラ見

見セラレタ文書ノ要點ハ記載サレテ居リ

(一)撤兵ノ原則ヲ規定シナカラモ其ノ時期ノ認定ハ日本側ニ於テ行フコトヲ定メタ事項

(二)北支、廣東、上海、海南島等ノ特殊地帯ノ設定ニ關スル事項

(三)經濟提携ノ原則及方式ニ關スル事項

(四)日本人顧問ノ採用ニ關スル事項

等丈ケハ抽象的ニ記載シテ居リマス

八、問　日本ト蒋介石及地方軍閥トノ直接交渉ノ點ニ付キ述ヘヨ

答　日本ト蒋介石トノ直接交渉ハ早クヨリ香港ヲ中心トシテ小川平吉氏萱野長知氏頭山満ノ子息軍關係者外務省關係者等其ノ他ニ依リ夫々別々ナ階級ヲ通シテ工作カ行ハレテ居タコトハ新聞記者仲間ノ話、雜誌デノ記事ミ反對ノ立場ニ立

ツ汪兆銘擁護運動關係者ノ暗躍カラ聞イテ居リマシタ其ノ外ニ
モ雲南ノ龍雲廣西ノ李宗仁、白崇禧山西ノ閻錫山等ニ對
シテモ夫々工作カ行ハレテヰタコトモ各方面ノニユースデ
聞イテ居リマシタ

此ノ蔣介石工作ヤ地方軍閥工作ニ就テモゾルゲヤ宮城ニ話
シテ居リマス

卽チ昭和十三年[illegible]月頃昭和十四年九月頃昭和十五年四月頃
何レモ支那旅行カラ歸ツタ時並ニ昭和十六年七、八月頃ト何
[illegible]ツ其ノ會ニ折ニ觸レテ話シテ居リマス其ノ何レノ時ニ如何
樣ニ話シタカ判然シマセヌカ概括的ニ申セハ

「日本カ汪兆銘工作ヲ進メ乍ラモ依然トシテ蔣介石ト直接
交渉ヲ爲シテ居ルノハ支那問題解決ノ捷徑ハ蔣介石トノ
直接ノ話合ニアルトノ考方ヲ捨テナイ證據デアル今日迄

ノトロロチハ何レモ蔣介石ノ使ト稱スル者ニ喰逃ケサレテキル状況テアルコト

二、蔣介石ハ日本ノ使ト稱スル者ノ多イノニ苦ンテ自分ノトロロニハ今日本カ八本ノ線カ來テ居ルカ何レチ信シテ良イカ判ラヌ願クハ一本ニシテ來テ欲シイト言ツタト云フ噂カアルコト

三、南京總軍司令部方面テモ蔣介石工作チ熱ニ行ツテキルコト

四、李宗仁白崇禧ノ廣西派ニ對スル工作ハ和知大佐カ熱心ニ以前ヨリ行ツテ來タモノテ引續キ行ハレテ居タコト

五、繆斌ニ對スル工作ハ汪兆銘ノ國內脫出ノ時既ニ爲サレテ居リ汪ノ脫出ニ付テハ繆斌トノ間ニ諒解カ存在シタト云ハレ此ノ爲蔣介石ハ繆斌ニ極メテ巧妙ナ離間チ行ツテキ

タト云フコト

六、關鐵山工作ハ北支軍ニ依リ支那事變ノ直前頃ニ行ハレテ居ツタカ手違ヒニ依リ山西省ニ侵入シタ際關鐵山ヲ敵ニ獲スコトニナツタト云フコト

以上ノ諸點ノコトヲ話シテ居ルノデアリマス併シゾルゲニ對シテハ此ノ全部ヲ話シテヰルカ否カ多少疑問カアリマス

九、問　被疑者ハ諜報活動以前ニ政治工作ヲモ行ツタモノデハナイカ

答　私ハ內閣囑託ニナツテ後ハ支那問題ノ專門家トシテ社會的ニ相當ノ說得力ヲ持チ又政治的ニモ近衛側近者ノ如キ有力ナ人々トノ接觸ヲ持ツニ至リマシタカラソ聯防衛ノ見地ヨリ政治的ナ宣傳ナリ働掛ケヲ行ヘハ或程度效果カアルノテハナイカト考ヘ昭和十四年頃此ノ意圖ヲゾルゲニ話シタコ

トカアリマス
其ノ時ゾルゲハ吾々ノ本來ノ任務ハ諜報活動ニアルノデアツテ左様ナ政治工作ハ任務以外ニ屬スルコトデアルカラヤラヌ方カ良イト申シテ居リマシタ私トシテモソ聯ヲ擁護スルカ如キ言論ヲ正面ヨリ公然ト行フコトハ日本ノ特殊事情カラ見テ不可能ノ事デアリ若シ強イテ之ヲ行ヘハ自己ノ立場カ忽チ危險ニ瀕スルハ必定デアリ且ツ私ノ接近シタ政治グループハ何レモソ聯嫌ヒノ人達デ之ニ働掛クルコトハ殆ド不可能デモアリマシタノデ一應ハ前述ノ通リノ意見ヲ持チマシタカ之ヲ排撃シ表面上ハ從來通リノ態度ヲ持シテ來マシタ從テノ私ノ書イタ論文ニモ親ソ的ナモノハ殆ト見ラレナイノデアリマス只支那ノ民族運動ヲ論シタ場合ニ多少ソ聯ノ影響力ト政策ノ正シサヲ示唆シタ程度ノモノカアル

ニ過ギマセヌ昭和十三年初頭雑誌「日本評論」ニ執筆シタ「國民黨共產黨關係史」ノ如キハ其ノ一例デ此ノ論文ハ中共カラ出版サレタ「パンフレット」ニ翻譯當時ノ論文ト一緒ニ編纂サレタ程デス但シ此レトテモ極メテ客觀的ニ且ツ一定ノ限界ヲ設ケ範圍ヲ逸脱シナイ樣細心ノ注意ヲ拂ヒマシタ

昨年六月二十一日獨ソ戰カ起リ其ノ後日ソ危機カ高マリ同時ニ日米間ニモ緊張ヲ來ストイフ時期ニ遭遇シマシタカ其ノ際ニ於ケル私ノ接觸スル近衛側近者ノグループノ明瞭ナ觀點ハ支那事變ノ適當ナル解決並ニ對米交渉ノ妥結ニ懸ツテ居タノニ反シ獨ソ關係ハ此時ノ關係ト比較スレハ可ナリ緩和的デ多少工作ノ余地カアルト考ヘラレマシタ故ニ申述ヘタ通リ此ノ人々ハ獨ソ戰ノ見通トシテソ聯ノ敗北之ニ續イ

テ居ルスターリン政權ノ役割ヲ強調シテ居リマシタカ之ニ對シ私ハソ聯ハ軍事的ニ戰爭ニ敗北ヲ喫スルトシテモ革命以來培ハレテ來タソ聯ノ社會的統一性ハ容易ニ崩レルモノデハナク從テスターリン政權ノ崩壞ヲ招來スルコトハ起リ得ナイト觀テ居リマシタカラ朝飯會ノ席上デハ甚タ消極的ナ態度デアリマシタカ牛場、松本、岸、平等ノソ聯崩壞說ニ反對シテソ聯ハ軍事的ニハ獨逸ニハ敵ハナイデアラウカ實ニ内部崩壞ヲ來スト見ルノハ早計デアルトノ意見ヲ述ヘテ居リマス此ノ意見ハ風見氏ヲ中心トスル會合ノ席上デ風見氏ニモ述ヘテ居リマス

然ルニ獨ソ戰ノ經過ハ私ノ豫想通リスモレンスク地區ニ於テ獨逸軍ハ膠着狀態ニ陷リソ聯軍カ軍事的ニモ獨逸ノ進攻ヲ支ヘル狀況トナツテ來マシタ其處デ私ハ朝飯會ノ席上等デモ私ノ

見解ノ正シサヲモツト積極的ニ主張スル樣ニナリマシタ、
八月始頃内閣秘書官邸デ牛場秘書官ノ招待ヲ受ケタ際牛場、犬養等ノ居ル處デ松本重治ヲ相手トシテ私ノ所謂シベリヤ傾斜論ヲヤリ日本カソ聯ヲ攻撃スルコトノ無意味ヲ強調シマシタ其ノ理由トシテ

㈠元來シベリヤハ獨立シテ立チ得ル地域デハナク歐露ニ依ツテノミ支配サルヘキモノヲ從ツテ日本カシベリヤヲ領有シテ見テモ歐露ニ強イ政權カ出來レバシベリヤハ其ノ政權ニ支配サレルニ至ルデアラウコト

㈡資源ノ關係カラ見テモ日本カ現在必要トスル石油、ゴムノ如キハシベリヤニハナク此ノ點カラスレハ日本ニ取ツテハ寧ロ南方進出コソ意味カアルコト

㈢現在ノ日本トシテハソ聯ノ内部的崩壞カ到來スレハ格別ソ聯ハ武力ヲ用ヒスシテ支配下ニ收メ得ルノデ態々武力ヲ用フルノ必要ヲ認

メナイコト　等ノ弱點ヲ擧ゲテソ聯ニ對スル攻撃ノ無意味ナコトヲ強調シタノデアリマス右ノシベリヤ糧料論ハ朝飯會ノ席上デモ話シテ居リ又滿鐵ニ於テモ機會アル毎ニ調査員等ニ之ヲ強調シ九月ノ滿洲旅行中滿鐵關係者トノ接觸ノ際ニモ機會ヲ見テ話シテ居リマス其ノ他個人的接觸ノアル人ニモ話シテ居リマスカ一々ハ記憶ニアリマセヌ

私カ斯様ナ意見ヲ述ヘタニ付テハ牛場秘書官等近衛側近者ヲ通シテ私ノ意見カ近衛公ニ達シ日本ノ對ソ政策ニ幾分テモ影響ヲ與ヘルコトヲ秘ニ期待シテ居タ譯テアリマスカ併シ現實ニ日本ノ政策決定ヲ撰擇スルノハ政府テハナク寧ロ軍部テアリマスカラ私ノ期待ニモ自ラ限度カアツタ譯テアリマス以上申述ヘタ私ノ政治的工作ニ付テハゾルゲニモ話シテ置キマシタカラゾルゲモ知ツテ居ル筈テス私ハソ聯

防衛ノ見地カラ近衛側近者等ニ關シ多少政治的工作ノ余地カアルノヲ認メタ其ノ氣持モアツテ右ノ如キ意見ヲ述ヘタト言ヘヤスカ個人的カラ私ノ見解ニ論ク反駁サレテキタノテソレニ反撥スル氣分カ非常ニ多分ニ動イテ居タ結果デアツタコトカ主タル動機ナシタ

備昨年七月ノ大動亂ニ依リ満洲兵力增強ヲ行ツタコトニ付キ政府トシテハソ聯ノ内部動搖ニ備ヘテ満洲ニ増強シタノダト議會上ノ說明ヲ行ツテ居リマシタカ私トシテハ軍部ノ肚ハソ聯内部動搖又ハ極東軍ノ兵力カ減少シタ場合ニハシベリヤヲ奪取スル意圖テ増強ヲ行ツタモノト觀測シテ居リマシタカタ今般ノ獨ソ開戰ヲ契機スル氣持モアツテ満洲旅行カラ歸ツタ當時牛場、西園寺等ヤ満鐵關係者ニ對シ「ソ聯ノ内部動搖ニ備フル爲ノ兵力增強テアツタナラ軍隊ヲ撤

サナカツタ却ツテソ聯側ニ警戒サセタ丈ケデ優勢ナ處置ヲ
アツタ」ト強調シテ時ニ對ソ積極政策ノ無意味ナルコトヲ
示唆シマシタ

十七、問
答

軍事ニ關スル諜報活動ニ付キ述ヘヨ
私ノ場合ハ活動部面ハ事實上政治、外交等ニ重點カ置カレ
テ居タノテ軍事關係ハ寄拔ト比較スルト其ノ程ハ少イト思
ヒマスカソレテモ滿洲事變以來日本ノ方面ニモ注意ヲ拂ツタ
點ヲハナイノテ相當量ノ情報ヲ得テヰルガ其ニ報告シテヰル
ト思ヒマス今記憶ニ殘ツテヰルモノヲ申上ケレハ
一、在滿部隊名稱其ノ他
二、軍事知識ノノート
三、日本ノ重要ナル軍事工場ニ付テ
四、鐵道輸送力新兵器

五、支那派遣軍転進部隊名

六、満洲駐兵

七、海南島作戦

八、北支駐在部隊名及所在

九、在満部隊

十、日本陸軍師團ノ新編成表

十一、北満洲ノ防備

十二、南方作戦ニ要スル兵力量等ナアリマス

十三、問　在満部隊名稱其ノ他ニ付キ述ヘヨ

答　大概例日新聞紙ニ發表今細雜誌九年事變カラ開卯秋ニ掛ケテノ事ガアリマスカ當時ゾルゲカラ在満部隊ノ配備及兵數等ニツキ調査ヲ命セラレマシタノデ夜勤ノ際偶ニ朝日新聞社内ノ支那部通信部等ニ備付ケノ名簿ニ就キ秘ニ閲覧ヤ獨立守

備監ノ所在地最高幹部氏名等ヲ報告シ之ニ支那部ニ入ツテ
察ル現地カラノ軍關係情報ヲ加ヘテ簡單ナ報告書ニシテ二
回位ニ亘ツテゾルゲニ提出シマシタカ或ハ宮城ヲ介シテ渡
シテ居ルカモ知レマセヌ

十二問　軍事知識ノートニ付キ述ヘヨ

答　此ノ關係ハ既ニ機密ノ關係ニ付キ述ヘタ際申上ゲテ置イタ
通リデアリマシテ昭和十年中[illegible]ニ依頼シテ廣ク世界各國
ノ軍ノ装備、編成等ニ關スルノート二冊ヲ作成シテ貰ヒ之
ヲ宮城ヲ通シテゾルゲニ渡シタノデアリマス

十三問　日本ノ主要ナル軍需工場關係ノモノニツキ述ヘヨ

答　昭和十一年春頃軍事「ノート」ノ延長トシテ民間軍需工場
特ニ飛行機、戰車等ノ製造工場ノ調査ヲ纏メ様ト考ヘ鐵塚
ニ依頼シテ其ノ概要ノ調査書ヲ作成シテ貰ヒ之ヲ宮城ヲ通

シテゾルゲニ交付シマシタ其ノ報告書テ現在記憶ニ在ルノハ三鷹航空工廠、愛知時計、川西製作所、川崎造船所等ノ工場名ト製作兵器ノ概括的ナ種別等ノミテ其ノ他ハ全ク憶エテヰマセヌ

十四問　鐵道隊及新兵器ニ付キ如何

答　昭和十一年頃彼カ千葉鐵道聯隊隊獸醫ニ同人ト共ニ法師温泉ニ行キ同人カ在隊中ノ經驗ニ依リ知リ得タ鐵道隊關係ノ新兵器例ヘハ列車砲、線路ノ敷設及撤收裝置等ニ付キ說明ヲ受ケタ上直後宮城ヲ同温泉ニ呼ヒ寄セテ此ノ話ヲサセテゾルゲニ報告サセマシタ

十五問　支那派遣部隊名ニ付キ如何

答　昭和十二年七月支那事變勃發直後東京朝日新聞社ノ調査部ノ調査ニ係ル歐米部及監理部備付ノ表カラ支那及滿洲ニ派

記サレテヰル部隊ノ名前ハ部ヲ除キ何師團ト數字デ表ハシタ部隊名ハ其ノ駐屯地、部隊幹部氏名等ヲ寫取リ之ヲ宮城ヲ通シテゾルゲニ交付シテ居リマス其ノ回數ハ二、三回位デアツタト思ヒマス

十六問　蒙疆駐兵ニ付キ述ヘヨ

答　昭和十年カ十一年頃平綏線ノ張家口ノ一帶ニ日本軍カ駐屯スルコトニナツタ時同地帶カ北支那駐屯軍ノ管轄ニ入ラスシテ獨立的ノ關東軍ノ管轄ニ入ツタコトハ將來ノ對ソ戰ノ場合ニ蒙疆地帶ハ重要ナ意味ヲ帶ビルコトヲ示唆スルモノト考ヘマシタノデ其ノ當時ゾルゲニ之ヲ話シタト記憶シマス支那事變カ始ルト張家口ニ關東軍ノ機械部隊ノ後宮兵團カ入リ其ノ一部ハ太原迄南下シタノデスカ此ノ事實ハ對ソ關係ヲ見ル上ニ極メテ重要ト考ヘマシタカラ同様之ヲ

ゾルゲニ斷シテ居リマス
右ノ事實ハ東京朝日社内ノ情報特ニ現地カラノ報告ニ依ツテ之ヲ知ツタノデアリマス

十七、問 海南島作戰ニ付キ述ヘヨ

答 昭和十三年春頃海南島進攻ニ關シ新聞記者カ從軍シタトノ事ヤ進攻部隊カ蘭領ノ南端ニ艦隊ヲ待機シテ居ルトノ事ヲ東朝社内デ聞キマシタノデ情報之ヲゾルゲニ報告シテ置キマシタ

十八、問 北支駐在部隊名及所在ニ付キ述ヘヨ

答 昭和十四年夏滿鐵ノ社命ニ依リ香港、上海、漢口方面ニ視察旅行シタ際アメリカ系雜誌日「ザヤイナト・ウヰクリー・レビユー」紙所載ノ在支那日本軍ノ師團及其ノ所在地記入地圖ヲ藍本トシテ之ニ支那新聞記事ヤ私ノ現地觀察ノ結

縣ヲ綜合シテ中國全支ニ派遣サレテ居ル日本軍ノ各部隊名及其ノ駐屯地ヲ一覧表ニ作成シ之ヲゾルゲニ提出シテ置キマシタ、尚其ノ旅行ノ機會京都デ水野ニ會ヒ京都師團ノ派遣先ヲ聞イタコトヲ憶エテ居リマス其ノ一覧表ニ載ツタ各師團ノ名稱ヤ其ノ所在地等ニ付テハ全ク記憶ニアリマセヌ

翌十五年三月頃上海事務所ニ於テ開催サレタ支那抗戰力調査會議ニ出席ノ爲上海、杭州等ニ駐屯スル部隊ヲ調査シタトコロ大體之ヲ明ニシ得タノデ歸國後ゾルゲ等ニ報告シテ置キマシタカ其ノ内上海ニ土橋部隊ノ居タコト丈ケヲ覺エテ居リマス

十九問　在滿部隊ニ付キ述ヘヨ

答　昭和十五年十月南京ニ於テ開催サレタ協和會大會ニ招待サ

レテ鉄嶺ノ為渡満シタ時羅津行ノ船中デ水戸ノ聯隊ニ會ツタノデ其ノ聯隊ノ者ニ水戸部隊ノ事ヲ聞イタトコロ水戸ノ歩兵部隊ガ大黒河ニ在ルト教ヘテ呉レマシタ、更ニ協和会ノ大会ノ期間中及帰途ニ同大会出席者其ノ他ヨリ聞キ集メタ情報

ハルビン附近ノ情報ニ

槇山部隊

東満ノ北安ニ

徳富部隊

臨江ニ

土肥原部隊

カ駐屯シテヰルコト及石原莞爾将軍ガ第十六師団ヲ率ヰテ北満ニ派遣サレテ来ルコト等ヲ探知シ得タノデ帰来後之ヲ

ゾルゲニ報告シマシタ但シ石原將軍渡滿ノ問題ハ岡中將カ
間モナク防備計劃入トナッタノデ實現シマセンデシタ

二七、問　日本陸軍防圖編成表ニ付キ述ベヨ

答　此ノ表ハ二回ニ亘ッテゾルゲニ報告シテ居リマス
第一回目ハ昭和十六年三、四月頃ノコトデ滿鐵東京支社調
査室ノ時事資料係ノ事實上ノ責任者
海江田久孝
ヨリ內地師團編成ノ師團號ニ北支、中支、南支及滿洲ニ駐
屯スル師團名ヲ調査シタ文書資料ヲ入手スルコトガ出來マ
シタノデ早速ゾルゲニ報告シマシタ此ノ文書ハ滿鐵東京支
社ヨリ本社ノ幹部ニ送ル極秘文書ノ寫ヲ滿鐵タイプライタ
ー用紙一半紙ニ二、三枚ニタイプシタモノデアリマスカ私
ハ之ヲ自宅ニ持チ歸リ英文ニ翻譯シテタイプライター用紙

ニヘン傳キニシゾルゲノ自宅デ同人ニ渡シタノデアリマス
此ノ文書ノ内容ハ具体的ニハ憶エテ居リマセヌ
第二回目ハ同年五、六月頃ノコトデ同様海江田ヨリ調査部ニ於テ入手シタノデアリマス之モ前同様極秘文書デ謄録ノタイプライター用紙ニタイプシタモノデ最初ノ一、二枚ニハ陸軍ノ異動関係ガ記載サレテ居リ後ノ三、四枚ニ前ト同様内地朝鮮臺灣ノ部隊並ニ支那滿洲佛印等ニ配置サレテ居ル部隊ノ師團名及師團長名ガ書カレテ居リマシタ第一回目ノ分ニ比較スルト一層詳細ヲ極メ且ツ百ノ數字ノ冠セラレタ師團カ減少シテ反對ニ一ヨリ續ク番號ノ師團數カ増加シテキタコトカ總テ異ニシテキタ點デアリマシタ私ハ此ノ文書ハ其ノ儘官舎ニ、置シテゾルゲニ報告サセタ上返還ヲ受ケ私ノ手ニ依リ焼却致シマシタ尙第一回目ノ文書ヲゾルゲニ都合シタ際支那事變以後從來ノ甲師團乙師團ノ區別カ廢セラレテ全師團カ新式裝備ヲ加ヘラレ孰レモ從來ノ甲師團的ナモノニナツタト云フコトヲ報告シテ居リマス

此ノ事ハ當時カラ支那事變勃發後間モナク聞イタトコロデアリマス

右ノ師團編成ハ性質上軍ニ關スル重要事項デスカラ軍ノ機密ニ屬スルモノト考ヘテ居リマシタ

司　法　省

二十一問　北海道ノ防備ニ付キ述ヘヨ

答　昨年八月中旬北海道ニ講演ニ行ツタ際小樽市郊外ノ高台ニ在ル「鰊鱗荘」ト云フ料理屋デ休憩シタ際附近ニ監視哨カ設ケラレ海上ニ對スル監視ヲ行ツテ居リ其他ニハ迷彩ヲ施シタ陸軍ノ自動車モ來テ居ルト云フ警戒シタ状況ヲ現認シタノデ北方ニ於ケル防備カ急ニ強化サレタ一例トシテ歸京後ゾルゲニ報告シテ置キマシタ

二十二問　南方作戰ニ要スル兵力量ニ付キ述ヘヨ

答　日本軍ノ南部佛印進駐直後又私ハ西貢地區ニ進駐シタ部隊ヲ陸軍二ケ師團及海軍部隊ト判定シ總計四、五万トノ見透ヲ付ケテ居リマシタカ此ノ點ハ宮城トモ話合ツテ居ルト記憶シマス

昨年九月下旬滿鐵ノ自室デ酒井予備海軍大佐ト南方進攻

ノ時期ノコトヲ話シタ時ニ酒井ニ海軍ハ南進ノ準備カ出来テヰナイノデスカト聞キマスト酒井カ「海軍ハ既ニ準備カ出来テヰルカ陸軍カ準備カ整ツテヰナイサウデスヨシンガポール進行クニハ今ノ南部佛印ノ兵力ノ何倍モノ兵力ガ要ルデセウ」ト云ヒ私ヨリ「三十万モ要ルデセウカ」ト云ヒマスト同人ハ「ソレ位ハ要ルデセウ」ト申シタノデ私ハシンガポール作戦ニ要スル兵力ヲ三十万位ト算定シ其ノ後西域ニ會ツタ時ニハ南佛印ノ兵力ハ四五万デシンガポール作戦ニハ凡ソ三十万位ヲ要スルデアラウト話シテ置キマシタ

二十三問

被疑者ハ西域ニ對シテハ「石原中將ノ意見デハシンガポール占領及蘭印内軍事行動ニ要スル兵力ハ三十万ニシテ日本カ南進作戦ヲ完遂スルニハ更ニ多数ノ兵力ヲ要シ且

ツ現在ノ南部佛印駐屯兵力四、五万ナルヲ以テ作戰準備完結ニハ今後猶相當ノ時間ヲ要スルトサレテキル―冒告ゲタノデハナイカ

答 ソレハ同ジ問題ニ付キ私ノ話シタ二ツノ事項ヲ宮城カ混同シテ理解シタモノト思ヒマス

昨年九月末頃丸ノ内四號館ノ後藤隆之助事務所デ石原莞爾中將ニ一物ヲ聽ク會―ヲ催シタ時私モ後藤ノ通知ニヨリ遅レ馳セ乍ラ出席シマシタカ其ノ席上ニ於ケル石原中將ノ話デハ一般人ハシンガポールヲ取ッテ了ヘト簡單ニ云フガ之ヲ攻略スル爲ニハ兵力丈ケ考ヘテモ極メテ多數ヲ要スルノデアッテ實ハ大變ナ事業デアル―ト云ヒ要スルニ英米トノ戰爭カ容易ニ行ハルヘキモノデナイコトヲ強調シマシタ此ノ點カ曖昧カアッタノテ宮城ニ話シタノ

デスカ偶々聞シ時ニ櫻井カラ聞イタ前述ノシンガポール作戰ニ要スル兵力ノコトヲ話シタノデ此ノ兩者ヲ宮城カ混同シタモノト思フノデアリマス

尙石原中將ニ物ヲ聽ク會ニハ迫水久常後藤隆之助外十數名ガ出席シテ居リマシタ

二十四問　被疑者ハゾルゲニ對シ南方進出ノ形態ニ付キ說明シタコトハナイカ

答　左樣ナコトガアリマシタ私ハ昨年九月下旬ゾルゲニ會ツタ時地圖ニ基キ作ラ

(一)日本カシンガポールヲ攻略スル順序トシテハ先ツ佛印カラ泰國ニ南下シ更ニ馬來半島ヲ南下シテシンガポールニ向フモノデアラウ

(二)日本南進ノ目的ハ石油資源ノ獲得ニアルカラ攻擊目標

ハスマトラ及ボルネオテアル但シスマトラノ方カ爲ニ石油資源ニ富ンテキル

(四)但シ日本ハ此ノ場合シンガポール等ヲ除外シ此等ノ蘭印ノ島々丈ケヲ押ヘルコトモ考ヘタカ之ハ戰略的ニ見テ両翼ニシンガポールトマニラノ軍事的據點ヲ控ヘテ居ルノテ此ノ方式ハ成立タナイトシテ放棄サレタ。

ト云フコトヲ判斷シテ居リマス右ハ私ノ見解テアリ又一般ノ常識テモアリマシテ昭和十五年小磯國昭將軍カ蘭印ニ乗込マウトシテ中止シタ際小磯ノ意見カ大体右ノ蘭印ノ島々ノミヲ押ヘル方式テアツタカ此ノ方式ハ成立タナイノテ放棄シタト傳ヘラレタコト等カラモ斯様ニ判斷シゾルゲニ説明シタ次第テス

二十五問

併シゾルゲノ作成シタ報告書ニハ一ボルネオニ上陸スル

計畫ハシンガポール及マニラヲ南端トスルノ危險カアリ日本ハスマトラカボルネオヨリモ其ノ防禦力弱ク石油資源ハヨリ大ニシテ良好タト考ヘテ居ル部ニ中止スルコトニ成ツタートアルカ如何

答

ソレハゾルゲカ私ノ說明ヲ聞キ違ヘタモノト思ヒマス私ノ說明ハ只今述ヘタ通リテアリマシテゾルゲノ報告書ニアル樣ニ日本ノ作戰カボルネオノ上陸ヲ中止シテスマトラ上陸ヲ行フコトニナツタト說明シタノテハナクボルネオ及スマトラヲ含ム關係ノ島々丈ケヲ抑ヘルコトモ一緒ニ考ヘタヤウテアルカ此ノ方式テハ兩翼ニシンガポール及マニラノ軍事據點ヲ控ヘテ居ルノテ作戰的ニハ到底實施スルコトカ出來ナイノテ南方作戰トシテハ佛印ヨリ泰國ヘ更ニ馬來半島ヲ南下シテシンガポールヲ攻略シ同時ニ

取ハシンガポール攻略ノ完了ヲ待ツテ蘭領ノ島々ニ及フ方式ヲ取ルヲアラウト說明シタノカ事實テアリマシテソレヲゾルゲカ聞キ過ツタモノト思ヒマス

二十六問　答

經濟問題ニ關スル諜報活動ニ付キ述ヘヨ

日本ノ政治及社會情勢カ日本社會ノ持ツ經濟力ニ支配サレテヰルコトハ言フ迄モアリマセヌ吾々カ探知シヨウトスル日本ノ重要ナ當面ノ政策ヲ的確ニ把握スル爲ニモ經濟情勢ノ判斷カ一ツノ決定的條件トナツテ來ルコトモ亦多言ヲ要シナイトコロテアリマス此ノ觀點ヨリ經濟事情ノ探究ハ吾々ノ主要任務ノ一ツトナツテ居リマシタ併シ乍ラ吾々ノ活動ノ成果ヲ顧ルニ此ノ點ハ量的ニモ質的ニモ低度ノモノテアツタコトカ感知サレマス其ノ理由ハ第一ニハ吾々カ何レモ經濟專門家テナカツタコトカ第二ニハ

一般的客觀情勢カ非常ニ急迫シタ狀態ニアリ爲ニ吾々ハ總的ニ其ノ情勢ヲ政治的現象ノ中ニ集中的ニ把握シ從テ概ネ經濟的情勢ハ此ノ政治情勢ノ中ニ包括サレテヰルモノカ多カツタコト第三ニハ吾々ハ所謂狹義ノ經濟主義者ノ見ル如ク個々ノ經濟現象ヲ過重評價シ此ノ經濟現象ノ一角カラ日本ノ國力ナリ動向ナリヲ判定セントスル態度ニ疑問ヲ持チ寧ロ經濟事象ハ吾々ノ情勢判斷ニ取リ重要テハアルカ補助的ナモノトシテ取上グル態度ヲ採ツテヰタコト等ニ依ルノテアリマス但注目スヘキハ日本經濟ハ日本社會ノ特殊性ト結付キ特異ノ形態ヲトツテヰル點テアリマス具体的ニ述ヘマスレハ歐米經濟學者ノ批評ニ依レハ一九三八年一杯ニハ日本經濟力ハ完全ニ枯渇シテ戰爭不可能ノ狀態ニ陷ルトサレ日本ノ經濟界ニモ稍ニ斯樣

ナ悲觀論ヲ持ツ者モナツタト思ハレマシタカ此ノ誤リナルコトハ今度說明ヲ要シナイ譯デコノ事ハソルゲニモ話シ、日本ノ經濟力ヲ過少評價スルノハ誤リデ此ノ點ニ付テハ日本社會ノ低位ノ生活水準ヤ特殊ノ經濟的構成等ノ可能ヲ考ヘネハナラヌト注意ヲ喚起シマシタ

日本ノ政策動向ヲ摑ム場合ニ經濟問題ノ理解ト結ンデ極メテ困難ナ問題ハ私ノ所謂日本全体社會ト部分社會ノ問題デアリマス外國人ハ屢々日本ノ政策ガ突飛ニ出テ端倪捕捉スヘカラサル曖昧性ヲ持ツテヰルコトヲ指摘シテ居リマスカ其ノ理由ヲ考ヘマスニ從來カ此ノ問題即チ全体社會ト部分社會ノ問題ヲ理解シナイコトニ基ク場合カ極メテ多イト見受ケラレマス明治以來ノ日本ノ重要政策デアル大陸政策ノ抽繹及近年ニ於ケル國內ノ革新的方向ハ

部分社會ノ意向ニ據クモノカ多イト考ヘラレマス日本ノ部分社會タル軍部ハ獨自ノ經濟力ヲ持チ且ツ獨自ノ政策ヲ決定シテ居ルノデアリマスカ此ノ經濟力ハ日本一般社會ノ經濟力ヲ制約シ又政策ヲモ牽制スル形ニナツテ現ハレテ居ルト考ヘラレマス私ハ前カラ此ノ點ニ氣付キ折ニ觸レテゾルゲ等ニ指摘シテ來マシタカ部分社會タル軍部ノ經濟力ヲ完全ニ測定スルコトヤ之ト全体社會ノ經濟力トノ比重關係ヲ知ルコトハ特殊社會タル軍部ノ内部カ極メテ秘密ヲ保タレテキル爲ニ十分之ヲ明ニシ得ナカツタトコロデシタ併シ乍ラ日本社會全体ノ内部ニ經濟力ノ不均衡カアルニシテモ結局日本ノ持ツ經濟力ハ日本社會ノ全体ノ經濟力ニ歸屬スルモノデアルコトハ自明デアリマスカラ此ノ全体ノ經濟力測定カ各々ノ立場カラ見テ重要

テアルコトハ申ス迄モアリマセヌ私ハ斯様ナ日本ノ特異事情ニ關シ昭和十六年八月下旬對米交渉ニ關スル報告ノ附ゾルゲニ對シ次ニ申述ヘル趣旨ノコトヲ通ヘテ注意ヲ喚起シテ戴キマシタ即チ

日本政府當局モ財界モアメリカト戰爭スルコトハ經濟關係カラ見テ日本經濟ノ破綻ダトシテ反對シ對米交渉ニ熱心テハアルカ此ハ一面丈ケノ見方デ之ノミヲ見レハ對米交渉ハ成立ノ可能性カアル樣ニ見ラレルカ此ノ場合ニハ日本ノ特殊性ヲ考ヘネハナラヌ卽チ日本一般社會ニ對スル部分社會タル軍部ノ戰爭經濟力ヲ考慮ニ入レネハナラヌ日本一般社會ハ支那事變以來五ケ年ニ亘ル大消耗ニヨリ疲憊ニ瀕シテ居ルカ之ニ反シ部分社會タル軍部ハ却テ此ノ機會ヲ捉ヘテ戰爭經濟力ノ充

新ヲ圖リ其ノ結果一般財界トハ全ク別個ニ其ノ經濟力
ハ軍需ニ充實サレテヰル實際ニアルノデアル從テ日本
ノ戰爭ニ對スル意向ハ一般社會ノ指導部面タル政府財界
ノ上層部次第デ決定サレルモノデハナク寧ロ部分社會
タル軍部ノ意向ニ支配サレ勝チノモノデアル故ニ日米
交渉ノ前途ヲ卜スルニモ此ノ關係ヲ充分認識メル必要
カアル

ト云フニ在リマシテゾルゲモ此ノ意見ニハ賛意ヲ表シテ
居リマシタ

以上ハ私ノ諜報活動上日本ノ經濟力ノ正確ナル測定判斷
ヲ期スル爲ニ採リ來ツタ態度デアリマスカ以下具体的事
項ニツキ申述ヘマス即チ

一、金ノ保有高ト現送高

(二)政府ノ金買上數

(三)貿易關係

(四)日本農業問題

(五)日本經濟ノ動向

(六)米穀問題

(七)支那満洲ノインフレーション

(八)日本ノ紙幣發行高

(九)船舶保有數

(十)日本ノ石油貯藏數

(十一)生絲輸出杜絶問題

以上デアリマス

検事訊問調書（三月二十四日）

被疑者　尾崎秀實

一問　金保有量及現送量ノ問題ニ付キ述ヘヨ

答　支那事變開始以後日本ハ戰時必要物資ノ輸入ヲ強化シタ爲續々金ノ現送ヲ行ツテ來マシタ吾々モ當初ハ資本主義經濟ノ體制カラ見テ日本ノ經濟及貨幣價値ノ標準トシテノ金ノ保有量ニ付キ注意ヲ拂ヒ金ノ喪失ハ經濟ノ對外價値ヲ下落セシメ延イテ國内經濟ノ混亂ヲ導出スルモノト考ヘテ昭和十二年度ヨリ昭和十四年度迄ノ各年度ノ日本銀行ノ金ノ保有量及現送量等ヲ新聞記者仲間經濟關係者等カラ聞キ出シソルゲヤ宮城ニ報告シテ居リマスカ其ノ數字ハ只今記憶シテ居リマセヌ

二問　政府ノ金買上機ニ付キ述ヘヨ

答　昭和十三年頃台灣デ始メテ金ノ買上ヲ實施シタ處非常ニ好成績デ八、九千万圓ニ達シタト云フコトヲ台灣關係者ノ會合ノ席ヤ台灣カラ來タ旅行者カラ聞イタト思ヒマスカ右ノ買上額ハ何處カラ聞イタカ憶エマセヌ

內地ニ於テモ台灣ノ例ニ倣ツテ昭和十四年以來買上ヲ行ヒマシタカ其ノ買上額ハ約二億圓ニ達シタト推定サレマシタ此ノ二億圓ナル數字ハ滿鐵ノ調査課カラ知リ得タト思ヒマス此ノ金買上額ハ物動計畫ニ組入レラレタ數字デアリマス

右ノ金買上額ニ付テモゾルゲニ報告シテヰルト記憶シテ居マス

三問　貿易關係ニ付キ述ヘヨ

答　話カ昭和十五年度ノ貿易ノ輸出入バランスニ關スルモノデスカ物動計畫ノ關係カラ見テ其ノ年度ノ輸入額カ二十二億

二

司法省

國ニ對シテキルノニ新商金二、三億圓、金貨上ニ二億圓位ト輸出ヲ併セテモ總計十四、五億圓デ其ノ間ニ七、八億圓ノ開キカアルコトヲ滿鐵調査部ノ調査員等カラ聞キマシタカラ之モゾルゲニ報告シテ置キマシタ

四問　日本農業問題ニ付キ述ヘヨ

答　此ノ問題ニ付テハ二回ゾルゲニ報告書ヲ提出シテ居リマス

其ノ一ツハ水野成ニ命シテ「支那事變ト農村經濟問題」ニ就テ調査報告セシメタモノデ此ノ事ハ水野成關係ノ供述ノ際述ヘタ通リテアリマス其ノ二ハ滿鐵東京調査室ノ農業係ノ伊藤律ガ社ノ仕事トシテ「事變下ノ農村問題」ヲ調査シテキタノヲ昭和十六年初頃其ノ報告書ヲ伊藤ヨリ入手シ宮城ヲ通シテゾルゲニ提出シテ置キマシタ

五問　日本經濟ノ動向ニ付キ述ヘヨ

答

支那事變始ツテ以來經濟界ノ動向ニ付イテゾルゲニ報告シタコトハ間違ヒアリマセヌカ其ノ内デ記憶ニ殘ツテヰルトコロヲ申上ゲマス

其ノ一ハ大阪方面ノ財界ノ動向デアリマス事變勃初ノ頃ハ大阪商人ノ競爭相手タル浙江財閥ノ紡績工業、雜品工業カ戰爭ノ結果潰レルノデ大阪財界ハ戰爭ヲ歡迎スル態度ヲ示シテ居リマシタカ事變カ長期化スルニ及ンデ貿易ノ不振ヲ招キ更ニ昭和十五年ニ入ルト統制ノ強化ニ伴ヒ完全ニ中小商工業ノ破綻ヲ生シテ來タノデ戰爭ニ對スル不滿ノ聲カ高マツテ來マシタ私ハ朝日新聞社ノ同僚ヤ私ノ親戚及旅行者ノ談話ニ依リ右ノ動向ヲ摑ミ之ヲゾルゲニ報告シタノデアリマス

其ノ二ハ所謂四月危機說デアリマス卽チ昭和十四年ノ事カ

ラ昭和十五年春ニカケテ一方ニ通貨膨脹カ顯著ニ現ハレテ來タニ拘ラス他方ニハ金融逼迫ノ現象カ現ハレ大阪ニハ紙幣ノ過剰スラ起ツテ却リ金融界ノ前途ニ非常ナ不安ヲ來シ其ノ上石炭ノ不足電力ノ不足カ加ハリ經濟界ノ觀測テハ四月頃ニハ此等悪條件カ集積シテ財界ノ危機ヲ現出スルノテハナイカトノ見方カ專ラ行ハレテヰタノテ米私モ有リ得ルコトトシテ之ヲゾルゲニ報告シテ置キマシタ此等ノ情報ハ満鐵調査部其ノ他ヨリ入手シタノテアリマス

六問　米穀問題ニ付キ述ヘヨ

答　私ハ昭和十五年夏頃米穀問題ニ付ゾルゲニ

米ノ問題カ秋ノ收穫以後大キナ問題トナルテアラウ米ノ消費量カ増加スルニ反シ收穫カ減少シテヰルカ之ハ自然的條件ニ依ルノテハナク戰時下ノ肥料及勞力ノ不足ト共ニ農村

ヘノインフレノ促進ノ爲ニ起ツタモノデ長期戰ニ内在スル
モノデアリ日本經濟ノ根本的缺陷ノ現ハレデアルト思フ
ト説明シマシタ私ハ米ノ問題ヲ本格的ニ解決シヨウト考ヘ
水野成ニ依頼シテ同年秋調査ヲ命シ報告書ヲ徴シテ宮城ヲ
通シテゾルゲニ提出シテ貰ヒマシタ
尙同年秋満鐵ノ大阪出張所ノ調査部カ調査シタ昭和十六年
度ノ米穀需給豫想表デ満鐵東京支社デ入手シ之ヲゾルゲニ
提出シテ貰ヒマシタ
此ノ表ニハ内地ニ於ケル收穫ノ減少、台灣、朝鮮ヨリノ移
入ノ減少ノ爲佛印泰方面ヨリ九百万石位ノ輸入ヲ仰ガナケ
レハ需要ヲ充スコトカ不可能ノ情況ニアルコトカ示サレテ
居リマシタカラ此ノ事情ト此ノ表ヲ輸入スルニハ船腹ト
云フ大量ヲ要シ且ツ輸送船腹ノ不足ト云フ問題モアルノデ

予想通リノ輸入ヲ行ヒ得ルカ疑問デアルト申添ヘテ置キマシタ

七 問 支那満洲ノインフレーションニ付キ述ヘヨ

答 此ノ問題ハ満鐵ノ調査部カ昭和十五年度ノ業務計畫ノ一ツトシテ一般的ニ取上ケタモノデアリマス私ハ直接之ニ關係ハアリマセヌデシタカ断片的ニハ調査ノ結果ヲ窺フコトカ出來其ノ間支那満洲ニ於ケルインフレ傾向ヲ察知シ得マシタ東京上海大連等ニ於ケル他ノ部門ノ會議ニモインフレ調査ノ結果カ現ハレテ居リマシタカラ之ニ依ツテモ此ノ間ノ事情ヲ知ルコトカ出來タノデアリマス私ハ昭和十六年初頭上海及北支ニ於ケルインフレーション關係物價關係更ニ之カ治安ニ及ボス影響等ニ付キゾルゲニ說明シマシタ又昭和十六年大連會議ニ出席シタ際知リ得タ満洲ニ於ケルインフ

レ[illegible]ガ[illegible]ゾルゲニ說明シタコトハ既ニ申述ヘタ通リテアリマス

八問　日本ノ紙幣發行高ニ付キ述ヘヨ

答　昭和十五年十一月頃インフレノ傾向カ次第ニ顯著トナリ殊ニ日本銀行ノ紙幣ノ發行高ニ此ノ現象カ現ハレ年末ニハ五十億圓ニ達スルモノトサヘ見做サレマシタカラ私ハインフレ激化ノ一指標トシテ之ヲゾルゲニ報告シテ置キマシタ此ノ紙幣發行高ハ私カ經濟關係ヲ識トシ夫レニ滿鐵ノ金融部門擔當者等ノ意見ヲ綜合シテ判斷シタモノテアリマス

九問　船舶保有數ニ付キ述ヘヨ

答　南方問題カ難シクナツタ昨年五六月頃消息通間ニ日本ノ船舶問題カ論議ノ的トナツテ來マシタ私ハ其ノ頃ゾルゲヨリ日本ノ船舶保有數ヲ問ハレマシタカラ

一千噸以上ノ大型船舶ハ總計七百万噸デ現在不足ノ狀態ニアリ且ツ造船能力モ極メテ低率テアルカラ南方ニ進出スル場合一番問題ニナルノハ船舶デアル南方ニ進攻スルトスレハ現在民需ニ當ツテヰル船舶ノ一部ヲ之ニ振向ケナケレハナラヌ夫レハ國内民需物資ノ供給ニ著シイ支障ヲ來スデアラウ

ト説明シテ置キマシタ船舶ノ問題ハ非常ニ多クノ人カラ聞イテ居リマスカ滿鐵ノ情報カ中心デ三井物産ノ細田勘彌部次長カラ得タ情報モ參考ニナツテ居リマス

十　問　日本ノ石油貯藏量ニ付キ御聞ヘ

答　石油貯藏量ノ問題ハ富田總裁カラ入手シタモノテ此ノ點ニ關シテハ日米交渉問題ニ關聯シテ詳細申述ヘタ通リテアリマス

十一問　生糸輸出杜絶問題ニ付キ述ヘヨ

答　昭和十六年九月頃ゾルゲカラ日本ノ生糸ノ輸出額ヲ問ハレマシタノデ私ハ以前調査シタトコロニ基キ四億圓位ト答ヘタトコロ更ニ同人ヨリ生糸輸出杜絶ノ日本農村ニ及ボス影響ヲ問ハレマシタカラ私ハ農村ニ及ボシタ打撃ノ點ヲ調査シテ居マセヌデシタカラ後日調査シテ置クト約束シテ別レマシタ併シ今次檢擧ノ際其ノ儘ニナツテ居ルノデアリマス

十二問　被疑者カゾルゲニ提供シタ文書資料ニ付キ述ヘヨ

答　私カゾルゲニ提供シタ文書資料ニ付テハ最近ノ供述ニ附加シ既ニ申上ゲタモノモアリマスノデ關聯漏レノ分ノミニ付キ茲ニ說明申上ゲマス第一ニ滿鐵東京支社調査室時事資料月報其ノ他社內刊行物ノ關係ニ付キ申述ヘマス

時事資料月報ハ昭和十四年八月カラ社內デ發行サレテ居リ

マス其カ私カ富城ヲ介シテゾルゲニ提供シタノハ昭和十五年初頭以降ノ分デアリマス其ノ後ノモノデモ時々拔ケタモノモアリ最後ノ三、四月分ハ入手出來ナカツタノデ私ノ熟知シタ政治情勢ノ外ノモノヲ手交シテ居リマス

此ノ月報ハ滿鐵ノ内部ニ日本ノ當面スル政治經濟情勢ヲ重點的ニ取上ゲテ報告スルコトヲ目的トシタ社内刊行物デアリマス執筆者ハ總テ東京調査部ノ調査員及助手大阪出張員等デ私カ政治情勢ヲ、伊藤好道カ經濟情勢ノ概論ヲ書キ其ノ他ハ其ノ時々ノ重要問題ヲ選ンデ專門ノ調査員ニ依頼シテ執筆セシメテ居リマシタ私ノ執筆ノ態度ハ問題ヲ忠實ニ且ツ客觀的ニ突込ンダ將來方サシテ居リマシタ勿論文書ノ性質上觀測的限界ハアリマシタカ嚴正ナ事實ヲ曲ゲナイ態度ヲ持チマシタカラ之ヲ引續キ讀ムコトニ依テ日本ノ政治

勤ヲ正確ニ把握スルコトカ出来得ル性質ノモノト自負シテ居リマス他ノ人達ノ取締關係ハ私共テハアリマセヌカ公刊物テハアリマセヌカラ或程度突込ンタコトカ書カレテ居リ従テ此ノ月報ハ吾々ニトツテ貴重ナ資料ト云フコトカ出来マス

此ノ月報ハ社内テハ厳秘扱テ最初ハ百部位印刷サレテ居マシタカ送先ヲ整理シ六十部位ニ減少シテ来タト思ヒマス配布先ハ満鉄總裁ヲ始メ各理事各局部長調査部幹部地方ノ支社長等ニ制限サレテ居リマス私モ配布ヲ受ケテ居リマシタカ昭和十六年五、六月頃カラハ其ノ配布先ヨリ取除カレマシタ

満鉄社内刊行物テゾルゲニ提供シタモノハ右ノ時事資料月報ノ外

(1)、昭和十六年度與伊藤律ノ執筆シタ「日本農村問題ニ關スル調査」報告書

(2)、昭和十六年九月「新情勢ノ日本政治經濟ニ及ボス影響調査」報告書

(3)、昭和十五年三月滿鐵上海事務所調査ノ「支那抗戰力調査會議」ニ於テ配布サレタ「支那政治經濟ニ關スル調査」報告書第二、三冊

等カアリマス

滿鐵ノ發行物ハ何ナリノ形デ入手シソレゾレニ交付シテ居ルト思ヒマスカ一々ハ記憶シテ居リマセヌ只昭和十四年秋滿鐵北滿方面ノ地方事務所カ蘇聯ヨリ入手シタソ滿國境ニ於ケルソ聯軍配備狀況ヲ書イタ文書及圖ニ添ヘタ昭和十六

年六月頃大阪事務所調査ニ係ル米穀需給予想ニ関スル援ノ
ミ記憶ニアリマス
尚昭和十五年春頃満鉄北支経済調査局ヨリ東京支社ニ送付
シテ来タ満鉄以外ノ所デ調査シタ北支五省ニ於ケル石炭関
係ニ関スル調査書ヲ入手シ之ヲゾルゲニ提出シテ居リマス
第二ハ満鉄以外デ入手シタ文書デスカ昭和十六年春東京市
郊外ノ一個人カラ「国内政治関係綴」ヲ送付シテ来マシタ
カ都合ニ良ク出来テ居タノデ之ヲ買受ケ其ノ後宮城ヲ通シ
テゾルゲニ提出シ又同年晩夏頃宮城カラ東京市近郊ノ地図ヲ
懇シイト云ハレタノデ持ツテ居タ地図中カラ参謀本部陸地
測量部編纂地図二、三枚ヲ渡シタコトカアリマス
ゾルゲニハ文書資料ハ相当渡シテ居ルト思ヒマスカ現在デ
ハ此迄申述ヘタ以外ニハ思ヒ出セマセヌ

十三問　此ノ日記帳ハ被告者ノ使用シテヰタモノカ

此ノ時檢事ハ被告者宅ヨリ押收シタル證據物中鶯色布表紙小型日記帳ヲ示シタリ

答　此ノ手帳ハ昨年八月以後使用シテヰタ日記帳デアリマス以前ハ緑色ノ小型ルーズリーフ帳ヲ使用シテ居リマシタカ昨年八月之ヲ遺失シタ爲八月以後御示シノモノヲ使用シテヰタノデアリマス此ハ一種ノ約束帳デスカラ其ノ日ノ出來事ヲ書クノデハナク先ノ予定ヲ書入シテヰタモノデ九月二十二日以降月曜日欄ニ丸ヤ掛印カシテアリマスノハ其ノ日ノ夜ゾルゲトノ連絡ノアルコトヲ示シテ居ルノデアリマス其ノ他ニモ丸印掛印カアリマスカソレハゾルゲ等トノ關係ヲ示スモノデハナク只何トナク付ケタ印ニ過キマセヌ但シ木曜日欄ニアル丸印ハ木曜日ノ午後一時カラ明大ノ東亞科ノ

支那經濟史ノ開發ヲ指摘シテキタノデ此ノ萌芽ノアルコトヲ示シタ特徴デアリマス

檢事訊問調書（四月一日）

被疑者 尾崎秀實

一、問 諜報技術ニ付キ述ベヨ

答 私ノ諜報ノ態度或ハ特徴トイフコトヲ一言ニシテ言ヘバ所謂技術的ナ考慮ヲ持タナカツタ點ニアルト確信シテ居リマス。之ハ別ノ觀點カラ言ヘバ其ノ態度ガ一ツノ技術デアツタトモ言ヒ得ルノデアリマセウ。私ハ元來、社交的、人間好キデアリマシテ、大概ノ人トハ毛嫌ヒセズツキ合ツタバカリデナク人ニハ親切ナ方デアリマス。從ツテ交際ノ範圍ハ唯廣イバカリデナク相當ノ深サヲ持ツノガ常デアリマス。私ノ所謂諜報ノ源泉ハ斯ル人トノ交際ノ中ニ求メルコトガ出來マス。

且私ノ情報ニ對スル態度ハ個々ノ細イ情報ヲ個別的ニ濫

ルトイフ態度デハナク、先ヅ何ヨリモ自分自身ノ一定ノ見解ヲ定メ全體ノ包括的ナ事實及ビ流レノ方向トイフモノヲ作リ上ゲルノニ個々ノ情報ヲ參考トスルトイフ態度ヲ採リマシタ。從ツテ私トツキ合ツタ人々ハ私ガ情報ヲ欲シガツテ寄ツテ來ルトイフ感ジハ決シテ得ラレナカツタコト、確信シテ居リマス。

多クノ場合私ニハ既ニ一定ノ見解ナリ情報ラシキモノガ既ニ蓄積サレテ來テ相手方ハ寧ロ私カラ情報ナリ意見ナリ見通シナリヲ聞カサレテ來ルトイフ感ジヲ受ケタコトト思ヒマス。私ノ永イ間ノ經驗ト勉強トソシテ作リ上ゲタ交友關係トイフモノハ私ニ對スル世間的信頼ガ高マルト共ニ私ニ判斷力ト、ソレノ裏付トヲ提供スルニ充分デアリマシタ。本當ノコトヲ申シマスト私ノ評價カラ見テ寧

行情報ノ價値トイフモノハソレガドンナニ重要ナ機密ヲ隱シヨウト大シテ決定的ナ意義ヲ持ツモノデナイノデアリマス。今日ノ如キ政治情勢下ニアツテハ事情ハ常ニ動搖シテ居リマス。ドンナ重要ナ人々ノ決定モ亦絶エズ變更セラレ又假令夫等ノ人々例ヘバ政府軍部等ノ上層部ガ如何ニ主觀的ニハ其ノ決意ヲ固執シテヰテモ遂ニ客觀的事情ニ押サレテ變更ヲ餘儀ナクセラレルトイフ場合ガ殆ンド全部デアリマス。寧ロ私トシテ重要ナ點ハ夫等ノ情報ニ示サレタ主觀的意圖又ハ一時的事情ヨリモ其ノ底ヲ流レテヰル客觀的方向ヲ正確ニ知リ又ハ之ヲ探知スルトイフコトニアルコトハ反對スルヤウニ思ハレルカモ知レマセンガ私ノ自覺シテ居タ處デアリマス。一ツノ情報網デ私達ニトツテソレ丈ケニ絶對價値ノアルトイフ情報ハ只一ツアリマス。ソレハ一日本ガソ聯ヲ攻撃スル時レデアリマス。私ハ宮城ニモゾルゲニモ豫ネ〴〵揚言シテヰマシタ。此ノ的確ナ時期ヲ必ズ事前ニ摑マエテ見セルト、之丈ケハ確ニ油斷ノナラナイ問題デアリマシタ。強イテ諜報ノ技術トシテ擧ゲマスナラバ

一、情報ヲ欲シガッテヰルトイフ感ジヲ相手ニ與ヘナイコト。殊ニ最近デハ重要ナコトニ携ハル人々ハ情報蒐集部門ニ屬スルト見ル相手ニハ警戒シテ決シテ本當ノ事ヲ言ハナイモノデアリマス。

二、自分ノ方ガヨリ餘計ニ多クノ事ヲ知ッテヰルトイフ感ジヲ相手方ニ與ヘル場合ニ此ノ相手方ハ自己ノ持ッテヰル情報ヲ話スモノデアリマス。

三、大体ノ一ヒントレナドデ可成重要ナモノヲ受ケルコ

トノアルノハ比較的觀ニ到ルコトノナイ酒宴ノ席ナドデアリマス。

四、自分ガ何等カ特殊ナル技能ヲ持ツテヰルトイフコトガ關ル便宜ナ場合ガ多イモノデ私ノ場合デハ支那問題ノ專門家デアルトイフコトノ爲メニ各方面カラ種々ノ相談ヲ持込マレ又意見ヲ徴セラレテヰマスガ此ノ間ニ相手方ヨリ重要ナ情報ガ多ク得ラレルノデアリマス。

五、私ノ場合デハ新聞雜誌等ニ評論家トシテ活動シテヰタコトモ直接乃至間接ニ情報ヲ得ルニ便宜デアリマシタ。

六、私ハヨク座談會ヤ地方ノ講演會ニ出席シマシタガ是等ノ機會ニ地方民衆ノ意向ヲ可成卒直ナ意見ノ形デ知ルコトガ出來マシタ。

七、重要ナ情報機關ニ自ラ直接ノ關係ヲ持ツコトニ努力スルコト、卽チ私ノ場合ニハ先ニ朝日新聞社、次ニ内閣情報部、更ニ情報ノ調査部門ニ屬シマシタ爲メ自然ニヨキ情報ノ源泉ニ接觸シ得タ譯デアリマス。

八、最大ノ秘訣ハ要スルニ人間的信用ヲ相手ニ與ヘ何等ノ不自然ナク情報ノ交換ヲナシ得ル如キ情況ヲ作リ出スコトガ前提デアリマス。

九、以上ト關聯シテ情報ノ性質ニモ依リマセウガ私ノ如キ立場カラハ充分ヨク研究ト經驗ヲ積ンデ自分自身ガ綜合判斷ノ一個ノ情報源泉タル如ク自ラヲ完成スルノデナケレバ今日ノ如キ情勢下ニ於ケルヨキ一情報マン」トハ言ヒ得ナイト思ヒマス。

二、問　昭和九年以降滿洲支那方面ニ於ケル諜報活動ニ付キ述ベ

答

ヨ

私ハ元來支那ニハ縁ガ薄イノデスガ滿洲トハ餘リ深イ關係ガアリマセン。唯數度ノ旅行ト昭和十四年以降滿鐵ニ關係シタ爲ニ幾カ直接間接ノ接觸ヲ加ヘマシタ。但シ支那及滿洲ニ關スル諜報活動ハ其ノ職責カラ見テモ亦性質カラ見テモ日本ヲ對象トスル諜報活動ノ補助的ナ意義ヲ持ツニ過ギナイノデアリマス。尤モ對ソ戰ノ場合ガ問題トナツタ昭和十四年夏當時ハ滿洲ノ情勢ハ我々ノ立場カラ見テ極メテ重要デアリマシタ。我々ノ立場カラ言ヘバ諜報ノ對象トシテハ滿洲ノ方ガ重要デアルコトハ確カデアリマス。

支那及滿洲ニ於ケル諜報活動ト言ヒマシテモ之ハ必ズシモ現地ニ私自身ガ出掛ケテ行ク場合ニハ限ラズ寧ロ現地

司法省

カラノ旅行者通信、情報、報告書ト言ツタ種類ノモノカ
比較的ニ言ヘバ量的ニモ亦質的ニモ重要デアリマシタ。
但シ是等ノ事ハ一々記憶シテモ居リマセンシ個々ノ具體的事實ニツイテハ前ニ述ベタ點モアリマスノデ茲ニハ私ガ現地ヘ旅行シタ場合ニ付イテ記憶ニアル點ヲ申上ゲマス

第一　支那ニ對シテハ昭和九年以後數回旅行シテ居リマス

(一)　昭和十年暮ヨリ十一年一月ニ掛ケテ朝日新聞社命ニヨリ主トシテ北支ニ起リツヽアル新シイ政治情勢ノ觀察ニ赴キマシタ。大連、奉天ヲ經、天津ヨリ北京ニ入リ各地デ日本人及支那人ノ有力者ト會ヒ北京デハ宋哲元始メ十九路軍幹部、通州デハ冀東防共委

員會ノ殷汝耕始メ幹部共ニ綏遠ニ行ツテ省政府主席傅作義ニ會ヒ冀察政策ヤ日本ニ對スル婉曲ナ苦情ナドモ聞キマシタ其ニ歸途大同カラ太原ニ入リ閻錫山ハ鄕里歸省中デ會ヘマセンデシタガ參謀長ノ朱綬光ニ會ヒ山西省ノ封鎖的ナ經濟政策ノ話ナドヲ聞キ更ニ北京ニ引返シテ津浦線デ南下シ濟南デ山東總領事ノ斡旋デ山東省主席ノ韓復榘ト會ヒマシタソレヨリ南京ヘ下リ二、三ノ支那側要人ト會見上海ヲ經テ歸國シマシタ各地デ其ノ他多クノ日本人ニ會ヒマシタガ現地ニ於テハ日本ノ軍部ノ出先キノ意向特殊ノ商社ナドノ具體的ナ活動ナドト云フモノガ比較的明瞭ニ判ルモノデアリマス此ノ際歸來後ソルゲニハ一般情勢等ヲ話シタ他簡單ナ情勢報告ヲ出シテ置キマ

シタ

〔口〕昭和十二年十二月支那事變ハ既ニ發展シテ南京ガ陥落セントスル情況ニアリマシタ東京朝日新聞社ノ幹部ハ政府側ノ意向ヲ判断シテ日支平和近シト見テ居リマシタソシテ私ヲ主トシテ此ノ平和條約關係ニ働カセル目的デ特派シマシタ勿論私ハ平和ナド問題ニナラント考ヘマシタガ喜ンデ上海ニ渡リマシタ此ノ時ハ私ハ職務ノ第一線トハ關係ナイ地位ニアリ外人ノホテルニ泊リ込ンデ主トシテ國際關係及經濟關係ヲ注意シテ打電シテ居リマシタ此ノ間英人方面ノ有力者大使館經濟顧問ホール・パッチ、ジャーデンマジソン、重役ジョン・ケジック、ルーター極東總支配人チャンセラー等、猶太人シーメンス代表ボイ

日本標準規格B4號

ド博士其ノ他英、米、獨等ノ新聞記者商人、支那人商人、學生新聞記者等ニモ會ヒ更ニ舊知ヲ溫メ無數ノ各方面ノ日本人トモ會ヒ、內外ノ情勢、相互ノ意見及支那學界ノ將來ノ發展ニ對シ充分ナ材料ヲ得ラレタ譯デアリマス此ノ時ハ更ニ香港ヲ通ジテ支那側及英國ノ意向ヲ探ル爲メ香港ニ南下致シマシタカ途中ノフランス汽船ノ上デ偶然ニモ大公報主筆張季鸞ト會ヒ充分日支關ノ現狀ニ付イテ意見ヲ交換スルコトガ出來支那側ノ首腦部ガ何ヲ考ヘテ居ルカモ窺フコトガ出來マシタ香港ニハ丁度一ケ月滯在シマシタガ其ノ間スミス提督始メ英米商人新聞記者等多數及ヒ日本人各方面有力者ト會ヒマシタ支那事變ハ更ニ南迄延ビルニ違ヒナイ

ト云フコトガ私ノ結論デアリマシタ以上ノ旅行ニ依ツテ知リ得タ處ノ要點、私ノ見透シ等ヲゾルゲニ話シタ事ハ勿論デアリマス

(三) 昭和十四年夏滿洲ヨリ出發シテ上海、香港へ行キ更ニ引返シテ上海ヨリ漢口ヲ視察、上海經由滿洲ニ歸リマシタ此ノ間約一ケ月、此ノ旅行ハ實ハ夏休ミ期間ノ旅行トイツタ意味ガ多ク纏ツタ情報活動上ノ收穫ハ得ラレマセンデシタ要スルニ長期戰形態下ノ日本ノ戰爭、經濟建設ト支那ノ抗戰ノ狀況ヲ現實ニ觀察スルトイフ丈ケノコトデアリマシタ

(四) 昭和十五年三月末上海滿鐵事務所主催ノ第二回「支那抗戰力調査會議」ニ東京支社調査部ヲ代表シテ出席シマシタ會議ハ約一週間デアリマシタガ

滿洲、北支、南支等カラノ出席者モアリ主トシテ上海ノ調査員ノ苦心ノ調査報告ハ實ニ之ニ對スル質問應答ノ形デ會議ガ進メラレ奥地ノ支那抗戰力ノ全貌ヲ察知スルニ極メテ有益ナモノデアリマシタ又日本ノ上海ニ於ケル新ラシイ經濟政策ヲ窺フニ足ル如キ報告、共產黨、軍ノ活動狀況モ參考トナリマシタ此ノ會議ノ內容ニ就テハ極メテ大雜把ナ紹介ノモノヲゾルゲニ參考トシテ話シ又會議出席者ニ配布サレタ文獻ノ中ニ、三興味アルモノヲ寄贈ヲ選シテゾルゲニ提供シマシタ是等ノ事ハ既ニ申上ゲタ通リデアリマス此ノ時ハ殆ンド會議丈ケニ專念シ會期終ルト直ク歸京シマシタガ其ノ他ニハ在來カラノ知人、新聞記者等トノ會食懇親談ノ機會モ多少アリマシタ時恰モ國民政府遷都式擧行ノ際デアリ汪政權ノ現實、日本ノ對汪政策等ニツイテモ可ナリ雜多ノ情報ヲ入手シ得タト思ヒマスガ今個々ノ具體的記憶ハアリマセン

(五)

　昭和十五年十二月之モ上海デ行ハレタ前記支那抗戰力調査會議ノ第三回目ノ會議ニ出席ノ爲出掛ケマシタ會議ノ內容モ略前回ノ延長ト言ッタモノデアリマシテ支那專門家トシテノ興味以外特ニ目新ラシイモノモアリマセンデシタ此ノ時ハ日本ノ汪政權正式承認ノ行ハレタ時デアリマシタカラ此ノ關係ノ情報モ耳ニスルコトヲ得マシタ私ハ例ニヨリ上海在住各方面ノ人々ト接觸シ意見ノ交換ヲ行ッタ後東亞海運ノ船デ北上シ青島ヲ經テ北京ニ行キマシタ青島、北京デハ主トシテ滿鐵關係ノ友人ト會ッタノデアリマ

ス別北支ニ於テハ特測得ル處ハアリマセンデシタ更ニコレヨリ京都鐵道ニヨリ奉天經由大連ニ出テ船デ日本ヘ歸リマシタ此ノ旅行モ會議以後觀測ニ關ツタ收穫ハアリマセンデシタ併シ乍ラ私ハ支那問題、日本ノ大陸政策ニハ特ニ興味ヲ持ッテ居リ又專門家トシテ屢々意見ヲ徴セッレマスノデ時々ハ大陸ノ現地視察ヲ行フ必要ヲ感ジテ居タノデアリマス

第二ニ滿洲旅行ニ付イテ申上ゲマス

私ハ滿洲ニハ昭和八年夏日本ノ滿洲國承認ノ行ハレタ際大連、奉天、ハルビンニ旅行シタノガ始メテ其ノ後ハ前述ノ昭和十年末ヨリ十一年始メニ掛ケテ北支旅行ヲシタ時大連奉天ヲ經由シ其ノ時大連デ滿鐵ノ人々ト座談會ヲ行ッタコトガアル程度デアリマシタ昭和十四

司法省

年齢ニ關係スルヨウニナリマシタガ十四年中ハ本社ヘ行ク機會モアリマセンデシタ

(一) 昭和十五年九月末新京デ協和會全國協議會第六回大會ガ行ハレルニ際シテ其ノ東京支部ヲ通ジテ傍聽出席ヲ勸誘セラレマシタ

此ノ時日本デハ私モ多少ノ興味ヲ持ツテ居タ新体制運動ガ翼賛會トイフ形ニ落付イタ處デアリ之ト同一系統ノ先驅的運動デアル滿洲國協和會ノ現實ノ運營如何ヲ知ルコトハ興味ガアツタノデ應諾シテ新潟羅津ヲ經由シテ新京ニ參リマシタ

此ノ會議ハ數日ニ亙リ極メテ熱心ニ討議ガ續ケラレ政治的ナ水準ハ決シテ高クハアリマセンデシタガ私ニトツテハ或程度日本ノ滿洲政策ノ内實ヲ知ルニ良

イ機會デアリマシタ問題ノ所在ハ少クトモヨク學ブコトガ出來マシタ滿洲國ノ經濟政策ノ失敗ガ看取セラレマシタ滿洲土着資本ノ執拗ナ抵抗モ看取セラレマシタ

併シ私ニトツテ此ノ滿洲旅行ハ特ニ意外ナ收穫デアツタノハ會議ソノモノヨリモ此ノ機會ニ殆ド全滿ノ有力者ガ新京ニ集ツテ居タコトデアリ私ハ特ニ新政治体制運動ニ付イテノ評論家デアルト認メラレテキタ點カラ各種ノグループカラ意見ノ交換ト意見ノ表示ヲ求メラレ實ニ無數ノ各方面ノ人々ト會セマシタ其ノ中ニハ軍人、官吏（日系滿系）銀行家、協和會關係者、新聞關係者、滿鐵關係者其ノ他無數デアリマスモト〈協和會ノ手許デ手順ガ出來テ居リ要

ニ其ノ他出先ノ人達ガ勝手ニ引廻シテ呉レタノデアリマシテ私ハ唯默ツテソレニ應ジテヰレバヨイ有様デ一々之ニ應ズル時間ガナイ忙シサデアリマシタ此ノ間ニ私ハ種々ナルコトヲ知リ得タノデアリ私ノ比較的貧弱ナ滿洲知識ヲ大イニ強化スルコトヲ得タ譯デアリマス勿論之ハ必ズシモ我々ノ諜報活動ニ直ニ役立ツトイフ譯デハナク細イコトハ別ニ報告シテ居リマセンガ全体トシテ滿洲國ノ治安狀況カ宜シクナイトカソレガ共産匪ノ増加トシテ現ハレテヰルトカ熱河ニ八路軍系統ノ軍隊ガ入ツタトカ滿洲國ノ農業政策ガ今日迄ノ處失敗デアルトカ重工業政策ノ施行モ其ノ一因デアルトカ言ツタヤウナコト又歐洲大戰勃發以後ソ聯ノ能力ガ相對的ニ増大シテ滿洲國ノ運

大ナル對外投資ノ眼目ヲ爲シツヽアルトカ言ツタ關ノ話ヲゾルゲニシタノデアリマス此ノ際又關連物トシテ其處此處デ小耳ニ挾ンダ重要ナ日本ノ兵團所在地ノ二、三ヲ擧ゲタリシテ居リマス協和會關係其ノ他デ入手シタ文獻ハ特ニ提供スル程ノ必要ヲ認メナカツタノデ提出シテ居リマセン

ロ　昭和十六年九月始メ滿鐵大連本社デ行ハレタ調査部ノ「新情勢ノ日本政治經濟ニ及ボス影響ノ調査」會議ニ東京ヲ代表シテ宮西義雄ト共ニ出席シマシタ此ノ會議ニハ北支ヨリ山口正吾、新京ヨリ下條英其ノ他カ參加各地ヨリ報告アリ討論ヲ行ヒマシタ私ハソレヨリ新京支社並ニ奉天鐵路總局ノ要求ニヨリ赴キ兩地ニ於テ社內關係者ニ報告及懇談ヲ遂ケマ

司法省

シタ此ノ旅行ハ滿鐵關係者以外ニハ殆ド會ヒマセンデシタガ恰モ對ソ關係ノ一週引續ンダ直後デアリマシタノデ會議ノ席上其ノ他關係者トノ會合、會食等ノ場合種々貴重ナル斷片的情報ヲ得マシタノデ此ノ場合ニハ特ニゾルゲガ興味ヲ持ッテキタ事柄デモアルノデ可ナリ詳細ニ報告致シマシタ是等ノ具體的且詳細ナル内容ハ先ニ申上ゲタ處デアリマス

三、問　會議等ヲ利用スル場合ノ諜報活動ニ付キ述ベヨ

答　會議ト言ヒマシテモ會議ノ性質ニヨッテ其ノ利用價値ノ異ナルコトハ當然デアリマス

總シテ言ヘバ會議ハ支那事變以來日本ノ朝野ノ一ツノ流行タルカノ觀ヲ呈シマシタガ之ニ對スル非難モ亦定說ノ形トナッタ趣ノ如ク本質的ニ中心ガ無ク責任ノ所在ガ不

明確デ會議自体ノ效果モ無駄デアルト云フ傾向ガ強イヤウデアリマス要スルニ是等會議ノ狙ヒ所ハ比較的廣イ範圍カラ意見ヲ聽キ參考ニシタイト云フ場合ガ多イノデスガ會議出席者モ特別ノ場合以外ハ無準備デ出席シ比較的「思ヒ付キ」議論ニ終始スルコトガ多イノデアリマス從ツテ會議ヲ私ノ立場カラ利用スル場合ト言ヘバ主トシテ全体ノ空氣ナリ意向ナリヲ知ルコトガ主デアツテ之ニ斷片的ナ副次的ニユースヲ拾フ機會ガアルト云フコトニナルノデアリマス

私ガ此ノ數年來出席シマシタ會議或ハ會議類似的會合ハ極メテ多數ニ上リ記憶ヲ整理スルコトスラ困難デアリマスガ其ノ中主ナルモノ二、三ニ付イテ申述ベルコト、致シマス

一、昭和十一年七月ヨリ八月ニカケテ行ハレタ太平洋問題調査會ノ第六回大會ハカリフォルニア州ノヨセミテ國立公園デ開カレマシタガ私モ出席者ノ一人トシテ之ニ參加シマシタ此ノ會合ノ空氣ハ極メテアリストクラツクデ且ペダンチックナモノデアリマシテ私ノ如キ異端ト合フ空氣デハアリマセンデシタガ國家的意識ト結ビ付イタ場合ノ日本人トイフモノガ如何ニ排他的デ且窮屈ナ身構ヘニ終始シテヰルモノデアルカトカ如何ニ英米人ガ世界ノ支配者ノ傲慢サヲ隱ソウトシナイカトカ支那ノインテリノ多少ノ對英米阿附的態度トカヾ感ゼラレタ他支那ニ於ケル國共合作ノ下地トイフモノガ現實ニ存在シ又日本トノ關係ニ於テ英米ガ究竟ニ支那ノ側ニ立ツニ到ルデアラウトイフコトナドガ明瞭ニ猾取セラレマシタ之ハ理屈デハナク實際ノ空氣トシテ感ゼラレタ。其ノ後ノ東亞ノ歴史的事件ノ進行ヲ理解スル上ニ非常ニ參考トナリマシタ此ノ會議ヲ通シテ日本側ノ主席者トノ個人的友好關係ヲ進メ得ラレタコトハ更ニ特筆スベキ收穫デアリマシタ

三、私ハ昭和九年秋カラ昭和十二年夏迄東京朝日新聞社東亞問題調査會ニ席ヲ置イテ居リマシタ此ノ會ニハ評議員會ト云フモノヲ設ケ外部ノ重要機關ノオ歴々ヲ評議員トシテ居リマシタ但シ軍部ノ人達ハ評議員ト云フ名ヲ謝絶シテ唯外來者トシテ參加シテ居リマシタ之ハ外務、陸海軍、拓務大藏等ノ東亞問題ト關係アル部局關提級ノ人々三菱經濟研究所長、滿鐵東京支社長、大倉男爵、下村海南博士、根岸信博士、神田正雄氏トイ

ツタ人々デアツタノデスガ其ノ顔觸レノ堂々サトハ別ニ內容ハ唯晩餐ヲ一緒ニ喰フ丈ケノ會ニナツテ居リマシタ凡テ最近デハ會合ニ出テ來ル人達ノ心理ハ他ノ重要部門ニアル人々ガ何ヲ考ヘテヰルカト云フコトヲ知リタイノデアツテ而モ自分ハ少シデモ差障リノアルコトハ言フマイト身構ヘシテヰルノデアリマスカラ內容ハ極メテ空疎トナラザルヲ得ナイ所デアリマス此ノ會ナドモ結局ハ新聞記者ナドデ現地カラ歸ツタ者ノ報告ヲ聞ク會ミタヤウナモノニナツテ了ツタヤウデアリマス

三、新聞記者仲間ヲ中心トシタ會合ニモ屢々出席スル機會ガアリマシタ新聞記者仲間トイフモノハ殆ド之ハ國際的ニ通有性ガアルノデアリマスガ概シテ開ケツ放シデ自由ナ態度デ話スモノデアリマス日頃情報ヲ扱フ職業ノセイモアリ情報ニ對シテ同業者ノ間デハ殊ニ解放的ナモノデアリマス、新聞記者ノ情報トイフモノハ其ノ精確度カラ言ヘバ大シテ確カハナイカモ知レマセンガ早イコト、大体ノ輪廓ヲ掴ンデ居ル點デハ新聞記者情報トイフモノハ相當高ク評價セラルベキ性質ノモノデアリマス

四　評論家關係ノ會合モ度々行ハレマシタシ私モ評論家協會ノ一員デアリマスノデ此ノ協會主催ノ座談會等ニモ數度出席シマシタ

協會トシテハ東鄕外相ノ話、石原莞爾中將ノ話ナドヲ聽ク會ヲ催シマシタ但シ是等ノ會ハ會衆モ多ク且內部的ニ不統一デ有益ナ情報ヲ交換スルニハ適シマセン

間評論家トシテ各種ノ雑誌ノ座談會ニ出席シタコトハ枚擧ニ遑ノ無イ程デアリマス是等ノ座談會ノ前後ニハ大抵會食ヲシマスノデ其ノ間情報ノ有益ナモノヲ得ル場合モ少クナカツタト思ヒマス勿論其ノ情報トシテノ重要性ハ大シテ高イモノデハアリマセン

五

私ノ關係シタ會議ノ中デ重要ナモノヽ一ツハ昭和研究會關係ノ二、三ノ部門ノ恒常的ナ會合デアリマス私ハ其ノ支那部會、東亞政治ノ會及外交委員會等ノ責任的メンバーデアリ是等ノ會合ニハ比較的重要デ眞面目ナメンバーガ出席シテ居リマシタノデ永イ間ノ共同研究或ハ意見交換ノ間カラ情報的ニモ得ル處少クアリマセンデシタ但シ斯ル研究部門デ纒メ上ゲタ意見書ヤ資料ノ類ハ直接利用シタ事ハ一度モアリマセンカウシタ成果トイフモノハ猶ホ研究的ナモノニ終リ政治的ニハ純二學術的ナモノガ多イカラデアリマス尚昭和研究會關係デハ斯フシタ恒常的ノ會議ノ外ニ外部カラ人ヲ招イテ話ヲ聽ク會合ナドモ時々行ハレ此ノ間參考的情報種類ノモノヲ得ラレル場合ガアリマシタ昭和研究會關係ニツイテハ旣ニ申上ゲタ處デアリマス

六　滿鐵關係ノ會議

滿鐵ニ關係シマシテ以後私ハ一般的ニハ調査部ニ關シ更ニ特殊的ニハ其ノ情報部門ニ關係シテ居リマシタ職シテ內輪丈ケノ會議トイフモノハ比較的ニ自由ナ討論ナリ發表ガ出來得ルモノデアリマス其ノ意味デ滿鐵內部ノ會議ハ私ノ諜報活動ニ有用ナ資料ヲ提供シテ與レタト云フコトガ出來マス

研究的ナ會議デ私ノ出席シタ主ナモノハ昭和十五年三月及ビ十二月ノ上海デノ支那抗戰力〆調査會議昭和十六年六月ノ東京支社ニ於ケル世界經濟調査會議及ビ昭和十六年九月大連本社デ行ハレタ「新情勢ノ日本政治經濟ニ及ボス影響力調査」會議デアリマス

此ノ中昭和十六年六月ノ會議ハ夫々ノ責任擔當者毎ガソ聯、獨逸、佛蘭西、英、米等ノ主要國ノ政治經濟情勢ニツイテ主トシテ經濟ノ觀點カラ綜合的ナ調査ヲ行ッタ結果ノ報告ヲ主トシタモノデ之ニ對スル質問應答ヲ行ッタノデアリマス此ノ會議ノ出席者ニハ大連本社カラ兩三人、上海カラ一人、又南方問題ニ付イテハ東亞經濟調査局ノ者數名ガ時ニ加ハリマシタガ主トシテ東京調査室ノ世界經濟班數名ノ内輪ノ會合デアリマシタ

關聯ガ世界關聯デアリ私ノ直接諜報活動ノ材料トハナリマセンデシタガ時恰モ獨ソ開戰ノ直前デアリ之ニ對スル觀測ニ付イテ興味アル意見ノ交換ガ行ハレタコトヲ記憶シテ居リマス私ハ可ナリ獨斷的ニ獨ソ戰不可避ト日本モ亦參加スル方向ニアルコトヲ強調シタヤウニ憶ツテ居リマス

是等ノ專門的學問的會議デノ知識ハ直接ニハ諜報活動ニ役立チ得マセンガ私ハ是等ノ知識ヲ評論家的活動ノ上デ又或ハ私ノ一般的常識ノ增加ノ上ニ攝取シテ居ルコトハ無論デアリマス尙其ノ他ノ會議ニ付イテハ先ニ詳細ニ申上ゲテアリマスカラ茲ニハ繰返シマセン尙此ノ際一言加ヘテ置キタイコトハ滿鐵等ノ調査員ノ調査活動ノ價値ニ付イテヾアリマスガ成程是等ノ部門ノ關

査員ニハ相當優秀ト自負スル人々ガ多イノデアリマスシ又其ノ調査ニハ努力ノ加ハツタモノ、アルコトハ確カデアリマスガ我々實際家ノ觀點カラ見ルナラバ現實情勢把握ノ資料トシテハ少クトモ其ノ儘デハ役ニ立タナイモノガ多ク可ナリノ力ノ浪費ニ終ツテ居ル場合ガ多イト思ハレマス從ツテ之ヲ眞實國策ノ爲ニ役立テルトイフ本來ノ目的ニ近寄セル爲ニハ調査員自体ガ實的ニ向上スルコトハ固ヨリ之ヲ有効ニ把握、解釋利用スル手腕能力ガ必要デハナイカト考ヘテ居リマス要スルニ調査員自体モ之ヲ運用スル調査部ノ機能自体モ良キ意味デノ政治性ヲ缺イテ居ルト思ハレマス

此ノ組織ニ入込ンデ之ニ多大ノ迷惑ヲ蒙ラシメタ私ガ言フ言葉トシテ寔ニオコガマシイ言葉デアリマスガ暫

シモ私ガカウシタ二重性ノ立場ニナカツタナラバ大イニ此ノ機能ヲ濫リ彌縫ノ爲デナク高メルコトニ努力シタデアラウト考ヘテ居リマス此ノ人ト資金トヲ有スル尨大ナ機構ハ將來國家的立場カラ一層高ク評價サレルヨウニナルモノト思ツテ居リマス其ノ他私ガ參加シタ會議或ハ會合ノ數ハ無數デアリマスガ諜報活動ノ對象トシテ一々取上ゲル丈ケノ材料ヲ記憶シテ居リマセン

四問　西園寺公一ヨリ日華關係ノ内約ノ如キモノヲ借受ケタト云フノハ間違ヒデ單ニ見セラレ其ノ場デ書寫シタノデハナカツタカ

答　左樣デハアリマセン

既ニ申述ベタ通リ駿河臺ノ西園寺公爵邸デ西園寺公一ヨリ其ノ文書ヲ借受ケテ自宅ニ持歸リ原稿用紙ニ寫取ツタ

ノデアリマス
前ニハ借受ケタ期間ヲ十数日間ト申上ゲマシタガソレハ誤リデ極短期間デ或ハ借受ケタ翌日位ニハ返シテ居ルカトモ思ハレマス

六、問　借受ケタ文書ハ一枚書キニシテアツタノデハナイカ

答　私ハ前ノ御取調ノ際ニハ二枚書キデアツタト申上ゲマシタガ全部ガ二枚書キニナツテ居タトイフ意味デ申シタノデハナク一部ニ二枚書キノ所ガアツタト述ブベキ處ヲ言葉ガ足リナカツタノデ左様ニナツタノデアリマシテ私ガ借受ケタ文書ハ始メノ方ハ一枚ノ横書キデシタガ終リノ一、二枚ニ二枚書キノ所ガアリ尚其ノ部分ハ問ト答ト對比スル形式ニシテアツタヤウニ思ヒマス
文書ノ用紙ハ四百字詰大型原稿用紙ノ大キサト同ジデシ

タカラ前ノ御訊問ノ際ニハ原稿用紙ト申上ゲテ置キマシタガ果シテ原稿用紙デアツタカ否カハツキリ記憶シマセン唯印刷デハ罫ガナカツタヤウナ氣ガシマス紙ノ色ハ純白デアツタカ否カハツキリシマセン

六問　六月十九日ノ政府及ビ軍部首腦者ノ會議ニ於テ既ニ事前ニ獨ソ戰ニ對シ中立ヲ維持スル旨ノ決定ヲ爲シタト云フコトヲ西園寺ヨリ聞知シタ旨陳述シタガ西園寺ハ此ノ事實ヲ否定シテ居ルガ如何

答　左樣ニ申サレマスト私ノ記憶モハツキリシナイノデアリマス第一私ノ記憶ニドウモ六月十九日トイフ日ガ蘇ツテ來マセン宮城ノ報告書ニ私ヨリ聞イタコト、シテ此ノ會議ノ事ガ記載サレテ居ルトスレバ左樣ナ重要ナ事ヲ私ニ報セテ呉レタ人ヲ求ムレバ西園寺以外ニハナイノデ前ニハ西園寺ヨリ聞イタ旨述ベタノデアリマス併シ西園寺ガ私ニ話シタ事ガナイト言ツテ居ルトスレバ私ノ方ガ間違ツテヰルカモ知レマセン唯單ニ獨ソ開戰前ニ政府及軍部ノ上層部デ獨蘇ソ戰ニ中立ノ態度ヲ採ルト決定シタトイフ位ノ情報ナラバ滿鐵内部デモ得ラレナイコトハアリマセンカラ或ハ滿鐵其ノ他デ知リ得タ事デアツタカモ知レマセン

廿七問　最初西園寺公一ヨリ所謂國策申入書ノ話ノ出タノハ被疑者ノ滿洲旅行ヨリ歸來シタ直後デ其ノ場所ハ待合「桑名」ノ入ツテ左側ノ第ノ間デハナカツタカ

答　私ハ前ノ御訊問ノ時ニハ滿洲旅行ノ直前カ直後ニ西園寺ト會ツタ時國策申入書ヲ見セテ貰フ約束ヲシタト申述ベマシタガ旅行前トスレバ現實ニ見セテ貰ツタ時トノ間ガ

日本標準規格B4號

餘リニ距リ過ギテ居ル感ジモシマスカラ滿洲旅行歸來ノ直後ノ事デハナカツタカト思ヒマス

約束シタ場所ハ「義名」デアツタカナカツタカソレサヘハツキリ憶エテ居マセン

八、問　申入案ヲ見セル約束ヲシタ時ニハ日米交渉ニ關シ西園寺ト議論シタノデハナカツタカ

答　左樣デアツタト思ヒマス私ハ西園寺等ノヤツテ居ル日米交渉ニ正面カラ反對スルヤウナ激シイ意見ハ述ベマセンデシタガ日米交渉ノ前途ニハ何等期待スベキモノハナイト考ヘテ居マシタノデ西園寺ニ對シテハ假ニ交渉ガ成立シタトシテモソレニ依リ支那問題ハ直ニ解決サレルモノデハナク且日本ノ上層部ノ考ヘトハ反對ニ國民大衆ハ反英米的デ上層部ガ此ノ空氣ヲ甘ク見テ居ルヤウニ見受ケ

ラレルケレドモソウダトスルト非常ニ政治的困難ヲ來ス惧レガアリ又日本トシテハ米國ヲシテ資産凍結ヲ解除セシメル位ノ見識ヲ持ツテ交渉ニ當ラネバ駄目デアルトイフ趣旨ノ事ヲ西園寺ニ話シタ處西園寺ハ交渉ノヤリ方ニ依ツテハ成立スル可能性ガアルト云フ意見ヲ、述ベ對米申入書ノ案ヲ見セル約束ヲシタノデアリマス

九、問　被疑者ガ西園寺ヨリ對米申入書ノ案ヲ見セラレタノハ此ノ約束ノアツタ數日後デハナカツタカ

答　左樣デアツタト思ヒマス
見セラレタ場所ハ待合ノ「[illegible]名」ニ間違ヒアリマセン

十、問　西園寺ヨリ見セラレタ案トイフノハコレカ
此ノ時被疑者ハ昭和十七年押第　號ノ中第　號ヲ示シタリ

答　唯今オ示シノ文書ニ相違アリマセン文書ノ枚數ハ前ノ御

訊問ノ時ニハ數枚ノモノヽヤウニ申上ゲマシタガ之ハ記憶ノ不正確カラ來テ居ル事デ唯今オ示シノ文書ノ通リ十數枚ノモノデアツタノデアリマス

十一問　其ノ時ノ座敷ハ階下ノ玄關左側ノ座敷等ノ間デハナカツタカ

答　座敷ノ點ハハツキリシマセン右側ノ奥ノ離レカオ訊ネノ離ノ間ノ孰レカデアリマス

其ノ時ハ私モ他ニ約束ガアリ確カ西園寺ニモ客ガアツタノデ僅カノ時間會ヒ二人デツマミ物デ僅カ麥酒ヲ飲ンダ丈ケデ夕食ハ攝ラズニ別レタトモ思ヒマス

前ノオ調ベノ時ニハ或婦人ガ來テ一緒ニ食事ヲシタヤウニ申述ベマシタガソレハ此ノ時トハ別ナ時ノコトデ之ヲ混同シテ左樣ニ申述ベタノデアリマス

十二、問　西園寺ヨリ對米申入書ノ案ニ付説明ハナカツタカ

答　別段説明ハ受ケマセンデシタ併シ西園寺ハ其ノ頃ノ日本側ノ案トシテ申入書ノ案ヲ見セテ呉レタノデアリマシテ勿論米國ニ送ラレルカ又ハ既ニ送ラレタモノトシテ解釋シタ譯デアリマス

十三問　此ノ案ハ米國ニハ送ラレナカツタト聞イタノデハナイカ

答　左樣ナ事ハ聞イテ居リマセン見セラレタ時ニハ米國ヘ送ツタトカ送ラナカツタトカ云フヤウナ說明ハ何モ聞イテ居リマセン其ノ頃ノ日本政府ノ案デアルトイフ意味デ見セラレタノデ其ノ頃出來上ツテ居ル日本ノ案トシテハ最新ナモノト理解シマシタ但シ此ノ案ニハ修正ノ個所モアツタノデ其ノ儘ノ形デ米國ニ送ラレタカ否カハ判リマセンガ大体其ノ文書ト同ジヤウナモノガ日本案トシテ米國ニ送ラレタニ違ヒナイト思ツテ居リマシタ

十四問　西園寺ハ其ノ時ノ模樣ヲ斯樣ニ述ヘテ居ルカドウカ

此ノ時被告ハ西園寺公ニ對スル第四回目訊問調書中第八問答ヲ讀ミ聞ケタリ

答　唯今オ讀聞ケノ西園寺ノ供述デ伺ツテ見マスト其ノ時ノ情

十五問

貴ハ正ニ西園寺ノ處ヘテ居ル通リ間違ヒアリマセン

昨年八月下旬關東軍ノ代理カ上京シ軍中央部ト協議シテ對ソ戰ニ關スル方針ヲ決定シタ事實ニ關シ西園寺ハ斯様ニ述ヘテ居ルカドウカ

此ノ時檢事ハ西園寺公一ニ對スル第三回訊問調書三十一枚目裏七行目ヨリ三十二枚目裏終リ二行目迄ヲ讀聞ケタリ

答

大体オ讀聞ケノ通リ相違アリマセン併シ私カ此ノ問題ヲ聞キ出シタ最初ノ動機ハ西園寺カ言ツテ居ルコトヽハ違ヒ一關東軍カラ人カ來テヤルカヤラヌカ決メタラシイネート言ツタト思ヒマス其ノ際ノ問答ハ西園寺ノ供述通リ間違ヒアリマセン滿洲カラ縞木綿ヲ買ツテ歸ル約束ヲシタノモ其ノ時ノ事ニ相違アリマセン

十六問

被疑者ハ一昨年九月頃犬養ヨリ借受ケタ日華間ノ基本條約

案及附屬文書トイフノハ

日韓兩共同宣言案

日本國中華民國間基本關係ニ關スル條約案

附屬議定書案

附屬議定書ニ關スル日華兩國全權委員間了解事項案

附屬秘密協定案

秘密交換公文（甲）案

秘密交換公文（乙）案

關聯[illegible]機密案

協議[illegible][illegible]附屬（合）ニ關スル備[illegible]案

等デハナカツタカ

答

オ訊ネノ内基本條約ノ案ト附屬議定書ハ確カニ大使ヨリ借受ケタ文書ニ收メラレテ居リマシタ其ノ外ニ[illegible][illegible]ハ[illegible][illegible]マ

センカ協定協約或ハ交換文ノ如キ補足ノモノモ入ツテ居タ
ト思ヒマス

検事訊問調書（四月十四日附）

被疑者　尾崎秀實

一問　被疑者ノ我國体ニ對スル考ヘ方ニ付キ述ヘヨ

答　多クノ人々ハ國家ノ内ニ生活シ乍ラモ常ニ其ノ國体ヲ意識シツヽアルモノデハナイト思ヒマス問題トナルノハ種々ノ具体的ナ政治行動カ國家ノ政治体制ト現實ニ衝突スルニ到ツタ時デアリマス私カ忠實ナル共産主義者トシテ行動スル限リニ於テ日本ノ現在ノ國体ト矛盾スルコトハ當然ノ結果デアリマスソウイフ意味カラ言ヘハ國体ヲドウ考ヘルカトイフコトカ問題ナノデハナクシテ實際的ナ共産主義者トシテ私ノ行動自体カ國家体制ト如何ニ矛盾シタカトイフコトニ眞實ノ意味カアルト思ハレマス國家ノ機密ヲ探ルコトヲ

主タル活動トシタ行動自体カ問題ナク國家体制ノ否定デアルコトハ申ス迄モアリマセン併シ乍ラ私ノ行動ハ我國家ヲ殆ツ絶對シ私ノ國体ニ對スル觀念ヲ定メタ上デ反國家的行動ニ關ツタトイフ關係デハナク共産主義者トシテノ超國家的行動カラ自然ニ反國家的行動ニ出タトイフコトニナルノタト考ヘマス

現在ノ我國体ノ体質ヲ我々ノ立場カラ見テ如何ニ考ヘルカトイフコトハ相當難カシイ問題デアルト考ヘマス日本カ資本主義的ニ高度ナ段階所謂帝國主義ノ段階ニ達シタ國家タルコトハ問題ノナイ點デアリマスカ日本ノ國家体制ハ多分ニ日本的特殊性ヲ含ンデ居ルト見ラレマス一般ニハ封建的諸勢力ノ力強イ殘存カ指摘セラレル處デアリマス資本家地主階級ニ依ル日本ノ現實ノ政治的支配体制ハコミンテルン

的ニハ天皇制ノ名ニ依ツテ呼バレテ居リマス日本ノ政治支配体制ノ中最モ特徴的ナ無法制度ニ着目シテ斯ク規定シタノデアリマセウ日本ノ政治支配体制トイフ意味カラスレバ勿論「天皇制」ハ我々ト相容レルヘキモノデハナク之カ打倒ヲ目標トシナケレバナラナイノデアリマス但シ私一個ノ私見ヲ申シマスナラバ現在ノ日本ノ政治体制ノ本質ヲ規定スル言葉トシテ「天皇制」ナル言葉カ正シイカドウカニ就テハ疑ヲ持ツテ居リマス

日本ノ資本主義ノ現段階ノ特徴ハ發達ノ後進性ヨリモ寧ロ内部ノ不均衡性ニアラウカト思ハレマス且封建的ナ勢力カ其ノ儘資本主義的ナ強力ナル勢力トシテ變化轉化シタ點ニアラウカト考ヘマス資本家（地主）＝軍部（官僚）ト云ツタ結ヒ付キカ政治推進力ノ本質的ナ中核ヲナシテ居ルヤウ

ニ異受ケラレマス範圍ニ於テ日本ノ内外ニ於ケル猛烈果敢ナ帝國主義政黨カ離ノ利益ニ關スルカト云ヘハ云フ迄モナク資本家階級ノ利益ニ關スルモノデハアリマス併シ乍ラ日本ニ於テ最モ特徵的ナ點ハ資本家階級モ亦其ノ代辨者タルヘキ政黨モ進歩ノ指導力ヲ持チ乃至ハ積極的主張者タルモノデハナイコトデアリマス且官僚モ軍部モ決シテ直接ニハ資本家的利益ヲ目指シテ行動スルモノデハナク却テ主觀的ニハ獨自ノ主觀的意圖ニ基イテ行動シツヽアリト考ヘソレノミカ時ニハ資本家抑制的ニ行動シツヽアリトサヘ考ヘテ居ルコトデアリマス

勿論斯ル主觀的意圖ニモ拘ラズ結果的ニハ資本家的利益ニ隨伴スルコト云フ迄モアリマセン日本資本主義ノ現段階ニ於ケル政治支配體制ノ内デ資本家地主軍部官僚（文官）等

ノ占メル割合比重等ノ測定ハ最モ困難デアリマスカ併シ興味アル問題デアラウト思ハレマス此ノ點ニ就テノ詳細ナ考察スルノハ茲デノ目的デハアリマセン私自身又ヨク判リマセンカ此ノ際一方デハ日本資本主義ニ於ケル軍事工業ノ占メル割合日本大コンツェルンノ軍事工業的比重ノ測定他方デハ日本軍部内ノ封建的並ニ資本主義的ノ兩性格ノ絡ミ合ヒ及ヒ大陸海洋兩政策ト軍部トノ關係ヲ究明スルコトハ以上ノ本質ヲ明ラカニスル鍵ヲ提供スルモノデアラウト思ハレマス

以上ノ管見ニ依ツテ知ラレル如ク現段階ニ於ケル日本ノ政治支配体制ノ上デ　天皇ノ憲法上ニ於ケル地位ノ持ツ意義ハ實ハ擬制的ナモノニ過キナクナリツヽアルヤウニ見受ケラレルノデアリマス

以上ノヤウナ理由デ日本ノ現支配体制ヲ「天皇制」ト規定スルコトハ實體ト合ハナイノデハナイカト考ヘテヰルノデアリマス

更ニ一歩ヲ進メテ共産主義者トシテノ戰術的考慮カラ見テモ「天皇制」打倒ヲスローガントスルコトハ適當デハナイト考ヘマス

其ノ理由ハ日本ニ於ケル「天皇」ガ歴史的ニ見テ直接民衆ノ抑壓者デモナカツタシ現在ニ於テ如何ニ皇室自身ガ財産家デアルトシテモ直接搾取者デアルトノ感シヲ民衆ニ與ヘテハ居ナイト云フ事實ニ依ツテ明瞭デアラウト考ヘマス

私一個人トシテハ別ニ皇室トハ何等ノ關係モナク恩モナク又恨モアリマセン妙ナ言ヒ方デアリマスガ之ハ少クトモ天皇ヲ宗教的ニ信奉スル可ナリノ日本人以外ノ普通ノ日本

人ノ感シ方デアラウト思ヒマス革命的スローガントシテハ民衆ノ直接ノ熱情ニ働キ掛ケ得ラルヽ如キモノデナクテハナラナイノデアリマスカラ其ノ意味デハ「天皇」ヲ直接打倒ノ對象トスルコトハ適當デナイト思ハレマス問題ハ日本ノ眞實ナル支配階級タル軍部資本家的勢力カ　天皇ノ名ニ於テ行動スル如キ仕組ニ對シテハ之ニドウ對處スルカノ問題デアリマス併シ乍ラ此ノ場合ニ於テモ眞實ノ支配者ノ役割ト其ノ大衆ニ及ボス意味トヲ明カニシテ之ヲ直接攻撃ノ對象トスヘキモノデアラウト考ヘマス

猶茲ニ一層付ク加ヘテ置キタイト思ヒマスノハ國家トシテノ日本及ビソ聯トヲ比ベタ場合ノ私ノ之ニ對スル考ヘ方デアリマス私達ハ世界主義者デアッテ謂ハヾ理想的ナ世界大同ヲ目指スモノデアリマシテ國家的對立ヲ解消シテ世界的

共産主義社會ノ實現ヲ目指シテヰルノデアリマス從ツテ我々カソ聯ヲ尊重スルノハ以上ノ如キ世界革命實現ノ現實的據ニ於テソ聯ノ占メテヰル地位ヲ重視スルモノトシ前進ノ一里塚トシテ少クトモ此ノ陣地ヲ死守シヨウト考ヘテ居ルニ過ギナイノデアリマス何モ世界ヲソ聯ノ爲ニ獻上シヨウト考ヘテヰルノデナイコトハ特ニ斷ワ迄モナイ處ト思ヒマス社會主義ハ一國丈ケデ完全ナモノトシテ成立スルモノデハアリマセン世界革命ヲ俟ツテ始メテ完成スルノデアリマス全世界ニ亘ル完全ナ計畫經濟カ成立ツテ始メテ完全ナ世界平和カ成立ツモノト思ハレマス此ノ意味カラ言ヘバ現在世界ノ再分割ヲ目標ス日本ノファシスト達カ大地域ブロック化例ヘバ「東亜共榮圏」等ノ範圍シカ考ヘテヰナイコトハ不徹底デアルト考ヘマス必ズ其ノ次ニインター・ブロッ

クノ激シイ抗争ヲ継続スルコトハ当然ダカラデアリマス
世界的共産主義大団結ガ出来タ時ニ於テハ国家及ビ民族ハ一ツノ組織的或ハ政治的結合ノ一単位トシテ存続スルコトゝナルノデアリマセウ斯クノ如ク私ハ将来ノ国家ヲ考ヘテ居ルノデアリマス此ノ場合断然　天皇制ガ制度トシテ否定サレ解体サレルコトハ当然デアリマス併シ乍ラ日本民族ノ内ノ最モ古キ家トシテノ　天皇家ガ何等カノ形ヲ以テ残ルコトヲモ否定セントスルモノデハアリマセン

三、問　現下ノ世界情勢ニ對スル見解ニ付述ヘヨ

答　(一)世界資本主義カ爛熟シテ其ノ主要國家群ノ世界政策ノ間ニ生レタ激シイ矛盾ノ結果トシテノ第一次世界戰爭ノ結末モ結局此ノ帝國主義政策ノ内部的ナ矛盾ヲ解決スルコトトナラスシテ却ツテ之ヲ激成シタバカリデアリマシタソレ以後世界ハ戰爭カ生出シタ擬制的富ト現實ノ富トノ間ノ懸隔、戰敗國ニ課セラレタ天文學的賠償金ノ處理、諸國家間ノ富ノ分配ノ不均衡等ノ事實ニヨツテインフレーション的繁榮ヨリデフレーション的恐慌ノ時期ヲ交互ニ輪廻シツツ最後ニ到達シタトコロハ國民主義經濟政策ヲ以テ戰爭ヲ通シテ新ニ局面ノ打開ヲ圖ラントスルコトデアリマシタ此ノ點デハ第一次大戰後ノ世界ノ調節力ノ配分ニ極メテ不備デアリ且内部ニ不安定ナモノヲ持ツタ

動搖的ナ強硬獨逸、日本ノ如キカ逸早ク此ノ目的ヲ以テ軍備擴張ニ乘出シタ譯テアリマシタ　勿論現狀ニ滿足シ利得シタ國家群ニ於テモ此ノ形勢ヲ看過シタ譯テハナク又自ラモ閉鎖ノ政策ニ出タ譯テアリマスカドウシテモ立チ遲レタアリ防禦的テアリ消極的テアルコトヲ免レマセヌテシタ　コレハ今日第二次世界大戰ノ開始以後彼等ノ側カ甚シク旗色ノ惡イ主要ナル原因ナノテアリマス

私ハ以上ノ形勢ヲ眺メツツ此ノ歸趨點トシテノ第二次世界戰爭カ結局不可避テアルコトヲ早クカラ認識シ且之ヲ屢々斷言シテ來マシタ

巨大ナル財貨ノ破壞ト貴重ナル人命ノ犧牲ノ後ニ來ルヘキモノカ再ヒ新ナル一團ノ國々ノ勝利ト戰利品ニ終リ他ノ一團ノ敗北、喪失ノ國々トノ對立ヲ新ニ惹起ストイフ

此ノ大戰爭ノ結果カ如何ニ愚劣極マルモノテアルカニ就テハ人類ト雖モモウイイ加減反省シテ宜イ頃テハナイカト思ハレマス

併シ乍ラ帝國主義諸國家ノ意圖スルトコロハ正ニ以上ノ如キモノテアリ世界ノ再分割コソ一切ノ目的テアツタトシテモ此ノ第二次世界大戰カ夫等ノ主觀的意圖トハ全ク別個ノ客觀的ナ經過ト結果ヲ示ステアラウコト、ハ私達ノ秘ニ確信シタトコロテアリマシタ　此ノ點ニ就テハ既ニ其ノ理論的ナ根據ヲ縷ニ申述ヘマシタカラ茲ニハ之ヲ省略致シマスカ要スルニ世界資本主義カ完全ニ行詰ツテ居リ其ノ行詰リヲ打開セントスル道カ結局自身ノ体制ヲ根本的ニ破棄且否定セサルヲ得ナイヤウナ方向以外ニ存在シナイトイフ大キナ矛盾カ此ノ事ヲ端的ニ物語ツテ居ルト考ヘマス帝國主義政策ノ限リ無キ惡循環（戰爭カラ世界ノ分割更ニ新ナル戰爭カラ再分割トイフ）ヲ斷チ切ル道ハ國內ニ於ケル搾取被搾取ノ關係國外ニ於テモ同樣ノ關係ヲ清算シタ新ナル世界的ナ体制ヲ確立スルコト以外ニハアリマセヌ　世界資本主義ニ代ル共產主義的世界新秩序カ求メラレル唯一ノ關鍵テナケレハナリマセン　而モ之ハ必ス現實シ來ルモノト確信シタノテアリマス　帝國主義諸國家ノ自己否定ニ終ル如キ極度ノ消耗戰　國內新興階級ノ抗戰ヲ通シテノ勢力增大、被壓迫民族國家群ノ解放、ソ聯ノ地位ノ增大等ハ正ニ其ノ要因テアリマス

(二)以上ノ如キ豫想ニ基ヅイタ現實ノ形態ト更ニ之ニ對處スル方式トシテ私カヒトリ心ニ描イタ處ハ次ノ如キモノテアリマシタ

第一ニ日本ハ獨伊ト提携スルデアラウコト
第二ニ日本ハ結局英米ト相戰フニ到ルデアラウコト
第三ニ此後ニ我々ハソ聯ノ力ヲ藉リ、始ツ支那ノ社會主義體制ヘノ轉換ヲ圖ルヘキモノデアラウコト
デアリマシタ　以上ノコトニハ更ニ説明ヲ必要ト致シマス私ハ日本ノ國内ニハ種々ノ政治的潮流カアリ意見カアリマシタカ結局ニ於テ對米英戰不可避ト見テ居リマシタ從テ昨年十二月八日ノ開戰ノ事實ハ少シモ意外デハアリマセンデシタ　私ノソレ以後ノ事態ノ發展ニ對スル觀々カラノ認識ハ次ノ如クデアリマシタ　即チ
日本ハ南方作戰ニ於テハ次第ニ英米ノ海軍力ヲ制壓シ英米蘭ノ領地ヲ占據シテ約半歳ノ後ニハ一應所期ノ目的タル軍事上經濟上ノ有利ナル態勢ヲ占メルデアラウ　併

シ乍ラ其ノ間ニハ英米ノ相當頑強ナル抵抗ヲ受ケ且執拗ナ捲上ゲリラ戰ニ悩マサレ且日本本土ニ對スル空襲ヲモ幾回カ受ケルデアラウ斯クテ一體ノ南方進出体制ヲ確立シ得タ六ケ月以後ニハ却テ日本ニトッテノ不利ナル諸情勢カ展開シ始メルノデハナイカ

其ノ一ハ船舶ノ不足等ニ加重セラレテ戰時必要物資タル石油、鐵其ノ他食糧等ノ不足カ問題トナリ來リ國内人心ニモ亦動搖カ現ハレルノデハナイカト考へ更ニサナキダニ膨脹過剰ナル日本ノ貨幣價値ニ惡性インフレーションカ見舞フ可能性カ隨テ増大シ來ルデアラウト考ヘタノデアリマス

日本自身ハ私ノ以上ノ如キ考ヘ万カラスレバ頗ル脆弱ノ可能性ヲ多ク含ンタ國トイツコトニナルノデアリマス、

勿論戰爭ハ純粹世界的ナ英米陣營對日獨伊陣營間ニ行ハレルノデアリマス　故歐洲デノ英獨對抗ノ結果トイフモノカ又極東問題トナルデアリマセウ　ツマリ東西何レノ一角デモ崩潰スルナラバソレハ總テ全勝ニ決定的ナ影響ヲ及ボスコトトナルカラデアリマス

此ノ觀點カラ見ル場合獨逸ト英國トハ同ジ位ノ敗退ノ可能性ヲ持ツモノト思ハルノデアリマス　私ノ立場カラ言ヘバ日本ナリ獨逸ナリカ簡單ニ崩レ去ツテ英米ノ全勝ニ終ルノヲハ甚ダ好マシクナイノデアリマス（大體兩陣營ノ抗戰ハ長期化スルデアラウトノ見透シテハアリマスカ）万一斯ル場合ニナツタ時ニ英米ノ全勝ニ終ラシメナイタメニモ日本ハ社會的體制ノ轉換ヲ以テソ聯支那ト結ビ別ノ角度カラ英米ヘ對抗スルノ姿勢ヲ採ルヘキデアルト考

ヘマシタ此ノ意味ニ於テ日本ハ戰爭ノ始メカラ米英ニ抑壓セラレツツアル南方諸民族ノ解放ヲスローガントシテ進ムコトハ大イニ意味カアルト考ヘタノデアリマシテ私ハ從來トテモ南方民族ノ自己解放ヲ「東亜新秩序」創設ノ絶對要件デアルト云フコトヲ頑リニ主張シテ居リマシタノハ斯ル含ミヲ籠メテノコトデアリマス　此ノ點ハ日本ノ國粋的南進主義者ノ主張トモ殆ド矛盾スルコトナク主張サレル點デアリマス

㈢既デ現實ノ戰爭ノ進行關聯ニ關シテ以上ノ如キ私ノ見解ト豫想ハ如何ニ喰ヒ違ツテ來タカト云フ點ニツイテ若干反省ヲ敢ヘテ見タイト思ヒマス

先ヅ第一ニ私ノ豫想ノ違ツタ點ハ昨年六月ノ獨ソ開戰デアリマス私等ハソ聯カ飽迄帝國主義諸國間ノ混戰ニ超然トシテ實力ヲ保存スヘキモノデアルト考ヘテ居マシタ此ノ間ニハ獨逸ノ要求ナド相當無理ナモノモ之ヲ呑ムヘキデアルト考ヘテ居リマシタガ獨逸ノ側ヨリスル戰爭ニヨツテ戰爭ニ捲キ込マレテシマツタ事ハ誠ニ大ナル問題ヲ將來ニ殘スモノデアリマス

第二ニハ「大東亞戰爭」ノ經歷ノ情況デアリマス勿論私ノ拘束サレタ地位ハ充分ノ情況判斷ノ材料ヲ與ヘテハ與レマセンカ併シ日本ノ今日迄擧ゲ得タ戰果ハ遙ニ私ノ豫

熱ヲ總シテ居リマス何ヨリモ日本ノ軍部カ努力シテ來タ卓越シタ戰爭準備ニ依ル點カ多イト思ハレマスカ日本社會ノ持ツ根強イ結合力カ與ヘラレマス日本人カ示シタ犧牲的精神、勇氣等モ所驚クヘキモノカアリ皆ヲ驚セナタコレ等ノ點ハ如何ナル戰爭ニ於テモ持チ續キ行クヘキ點テアリマセウ

又以上ノ外ニ日本カ戰爭ノ最モ都合ヨキ時期ヲ撰ンタトイフ事カ言ヒ得ラレルト思ヒマス英國カ相當疲弊シテ居リ獨逸ニ餘力無キ時ソ聯カ獨逸ニ牽制サレ勝シテ居ル時且アメリカノ戰爭準備ハ最モ立チ遲レテヰルト云フ狀況テアリマス

日本カ今日迄ニ爲シ得タ戰果ハソレ自體日本ノ今後ノ新ナル抗戰持久力ノ有利ナ條件トナルテアリマセウ此ノ意

味ニ於テ日本ハ寔ニ有利ナルスタートヲ切ツタモノト云フコトガ出來ルト思ヒマス

以上ノ關係ヨリシテ今後ノ戰爭狀況ニツイテ豫想ヲ試ミルナラバ日本ハ此ノ壓倒的ナ戰力ノ他ニ東亜被壓迫民族ノ解放者ナルカノ如キ態度ヲ採リ得テヰル點ニ於テ甚ダシイ無形ノ利益ヲ得テ居ルト考ヘラレマス此ノ點ハ支那丈ケヲ相手トシテ居ル場合ノ同シ口實カ滑稽ナ程矛盾ニ充チテヰルコトヲ日本人ハ氣カツイテイナカツタノト事情カ自ヅト異ツテ來テヰルコトヲ指摘出來マス一般ノ樂觀主義者ノ言フ如ク簡單ナモノデハアリマスマイガビルマルート遮斷後重慶ノ屈服スル可能性カ増加シテ來タコトハ確カデアリ印度ニ獨立ノ機運ノ擡頭スル可能性モ絶無トハシマセン若シ茲ニ到ルナラバ大英帝國ノ沒落、解体ハ現實ノモノトナルデ

アリマセヌ
今後東亞ニ於ケル長期抗戰ハ日本ニトツテ凡ユル階層ニ充チタモノデアリ決シテ一部ノ人々ノ云フ如ク經濟戰段ノ遂行カ大戰爭下ニ進行シ得ラレルモノデハアリマセンカ併シ日本ノ強ミハ何ハ兎モアレ軍事制壓下ノ諸地方カラ事實上欲スル數量カ或ル程度迄可能ナ點デアリマス問題ノ食糧ニ於テモ少クトモ日本人丈ケハ飢ニシメナイ可能性カアリ惡性インフレノ發展モ戰時計畫經濟ノ遂行サレル限リハ之ヲ喰ヒ止メ得ラレル狀況ニアルト考ヘラレマス
以上ノ論ハ私トシテハ見透ニ關スル大キナ錯正デアリマス
併シ問題ハ今後何時迄戰爭カ續クカト云フ時期ノ問題ニモ大キク係ツテ居リマス概括スルニ英米對日獨伊兩陣營ノ勝敗及ソ聯ノ戰爭ヨリ直接蒙ル運命ニ就テハ容易ニ之ヲ逆睹

日本標準規格B4號

シ論イ形勢トナツテ來マシタ主要ナル抗戰國ノ一國的ノ戰力ノ持久性ニツイテ丈ク云ヘハ最モ崩壞ノ危險性ノ多イノハ英國デ之ニ次イデハソ聯デアリ次ニハ日本及ニアメリカト云フ關係ニアルノハナイカト思ハレマス勿論之ハ單ニ一國ヲ切リ離シテ採リ上ゲタダケノデアリ戰爭全体ノ進行ヲ如何ニ決スルカニ就テハ又別ノ考察ヲ加ヘル餘地カアリ且戰力ノミヲ問題ニシタノデアツテソ聯ノ如キカ戰力ヲ破ヘ辭サレタ場合ニ其ノ國家社會体制ニ如何ナル影響ヲ來ルカト云フコトハ私達ノ立場カラ實ヘハ文句ノアル點デアリマス
以上ヲ通觀シタ後自分ノ根本的見解ニ立チ戻ツテ省察ヲ加ヘテ見マス時種々ノ反省ト自己ノ簡單ナ見透シニツイテノ誤リニ氣付ク點カ多々アルノデアリマス併シ乍ラ根本的ナ歷史法則ニ對スル信念ハ露モ搖ガナイトイフコトガ出來ル

司法省

ノテアリマス

飽迄今次ノ世界戰ハ資本主義社會ノ總決算タルヘキ運命ヲ背負ツタモノテアラウト確信致シテ居ルノテアリマス

三、問　今次事件ヲ中心トスル現在ノ心境如何

答　私ハ今次ノ事件ノ如キ結果ニハ何時カ到着スルデアラウトハ覺悟シテハ居マシタモノヽ矢張リ現實ニ之ニ遭遇シタ際ノ心ノ動搖ハ否定スルコトカ出來マセン一ツニハ意外ニ永イ間同シ活動ニ從ヒ乍ラ之カ破綻ヲ見ナカツタ爲メニ多少心ノ用意ヲ缺イタ點モアツタカト考ヘマス勿論私ノ行ツテ居ル如キ事カ猛烈ナ反國家的ナ犯罪デアルコトハ言フ迄モアリマセン從ツテ理論的ニハ其ノ行動ヲ是認シツヽモ時ニ具体的行動ノ後味ノタサヲ感シタコトモ否定出來マセン私ハ常ニ意見ヽ權力トイフ如キ場合ノ結果ヲ自分ノ一個ノ死ト結ビツケテ考ヘテ居リマシタ「要スルニ死ネバイヽノダラウ」トイフ點ニ一ツノ覺悟ノ基礎ヲ置イテ居タ譯デアリマスダカ現實ノ具体的結果ハソンナ簡單ナモノデハアリ

マセンテシタ結果ハ簡單ニ處理シ終ルヘキ性質ノモノテモナク又種々ナ派生的ナ併シ重要ナ結果ヲ齎シテ來タコトヲ承認セサルヲ得マセン大事ヲ決行スル人間ニトツテ生死ノ問題モ素ヨリ大キナコトテハアリマセウカ其ノ他ニ幾種ノ問題、肉親的愛情ノ問題カ之レニモ增シテ大キナ苦擾テアルコトハ寧ロ其ノコトヲ決行シタ後ニ於テ始メテ知リ得ルコトテアリマセウ其ノ事ヲ私ハ今痛感シテ居リマス

私ハ顧テ本當ノ意味デノ同志タルゾルゲ、宮城等ニ關シテハ常ニ友愛ト眞實トヲ以テツキ合ツテ來マシタ此ノ事件カ發覺シタ以後ニ於テモ聊カモ其ノ同志愛ヲ渝シテ居ラズ却テ一層此ノ不運ナル結果ヲ同情シ此ノ人々ヲ懷シムノ念ヲ增シテサヘ居ルノテアリマス

然シ私ヲ最モ苦シメタ事ノ一ツハ私カ屢遭會難ノ社會人ト

シテ接シテ來タ仲間ノ人々ニ對シ其ノ完全ナ好意ト善意ヲ裏切ラネバナラヌ立場ニ始メカラ立ツテ居タコトテアリマス之ハ專ラ私ノ仕事ノ特異性ニ基ヅクコトデ客觀的ニハ私カ平常接觸ヲ持ツ人々ヲ利用スルコトニ依ツテ私ノ主タル仕事カ成立ツノテアリマス是等ノ人々トノツキ合ヒハ私ノ一般社會人トシテノ廣イ面デノ接觸ニ基ヅイタモノデアリマシタシ勿論檢擧ノ際ナドニハ迷惑ヲ及ボスコトハ豫見サレタコトテアリマスカ何モ是等ノ人々ニ具体的ナ迷惑ヲカケヨウト常ニ意識シタ譯テハアリマセンテシタ勿論之モ理屈トシテハ言ハバ社會的ニハ別個ノ陣營ニアル人々テハナイカソレ等ヲ利用シソレ等カラ諜報ノ材料ヲ得ルコトハコンミユニストトシテノ活動ニ當然內在スル筈テハナイカトモ謂ヒ得ル處テアリマセウ併シ乍ラ是等ノ人々ハ孰レモ完

全ニ私ヲ信頼シ友誼ヲ以テ遇シテ呉レタ人々テアリマス勿論私ト雖モ平常是等ノ人々トツキ合フ場合ニハ之ニ劣ラヌ眞情ヲ盡シテツキ合ツテ來タコトモ事實テアリマス而モ今ヤ事茲ニ到ルト最モ慘酷ナル形テ彼等ヲ裏切リ且迷惑ヲカケル結果トナツタノテアリマス此ノ點ノ心苦シサカラ私ハ中々脫却出來ナイデ居リマス肉親ニ對スル愛情モ私ハ元來強イ方テアリマス私ハ妻子ニ對シテハ何時ノ日カ斷崖ヨリ突落ス如キ結果ノ日ノアルコトヲ考ヘテ深イ愛情ヲ傾ケタ積リテアリマス尤モ一方テハ主義ニ對スル氣持トノ喰違ヒカラ妻ナドニ對シテハ却テ苛立ツタ感情的ニ荒イ表現トナツタ場合モアリマスカ主觀的ニハ不憫サカラ來タ氣持ニ支配サレテ居タノテアリマス

私ニハ到底妻子ノ行ク末迄氣ヲ配ル經濟的ナ餘裕モ又氣持ノ

餘裕モアリマセンテシタ不幸ナ結果カ到來シタ時其ノ時コソハ妻子トハ永久ニ別レル時ダト考ヘテ居リマシタ現在ノ境遇ハ客觀的ニハ妻子ヲカマツテヤルコトハ出來ナクナツタノテアリマスカラ正ニ前述ノ通リテアリマスカ併シ感情的ニモ又事實上ノ繋ガリノ上テモ矢張リ妻子トハ切ツテモ切レヌ連鎖ガ存シテヰルコトヲ感シテ居リマス一人娘ハ今年女學校ニ入學シタト言ツテ頗ル朗カナ葉書ヲ寄セマシタ私ハ此ノ母娘ノ者カ何トカシテコレカラノ險難ナ世ヲ渡ツテ行ツテ呉レルコトヲ心ニ祈ツテヰルバカリテアリマス

職業的革命家ハ矢張リ家庭ヲ持ツ前キテハ無イト考ヘテ居リマス尤モソウハ言フモノゝ私ニ裏切ラレテ突然不幸ヲ與ヘラレタ妻ヤ子供カ私ニ對スル眞情ニハ筆舌ニ言ヒ難イモノカアリマスソレダケニ心苦シク感シル譯テアリマス

私ニハ猶一人ノ老父ト實兒トカアリマス是等ノ人々ノ心中ナドヲ考ヘルコトハ耐エラレヌ處テアリマスカラ強ヒテ考ヘナイコトニシテ居リマス少シ愚痴ッポクナリマシタカ私自身ハ早クカラ此ノ日ノアルコトハ覺悟シタ事テモアリ人間モ元來諦メノヨイ方テアリマスカラ實ハ割合ニ落付イテ居ルノテアリマス劇シイ人類史ノ轉換期ニ生レ過剩ナル情熱ヲ背負サレタ人間トシテマルクス主義ヲ學ビ支那革命ノ現實ノ舞臺ニ觸レテヨリ今日ニ到ル迄ノ私ハ殆ドカヘリ見モセズ驀地ニ一筋ノ道ヲ斷ク來ツタヤウナモノテアリマシタ世界ノ現實ノ動キヲ鐵ノ格子ノ一角カラ眺メ乍ラ靜ニ又自分ノ走リ來ツタ道ヲモ振リ返ッテ見タイト思ッテ居リマス

検事局

記録號
昭和　年第　號
昭和　年第　號
昭和　年第　號

件名

主任
検事　検事
豫審　判事　書記
公判　判事　書記

押收番號

保存
始期　昭和　年　月
終期　昭和　年　月

勾留又ハ釋放

被告人

私訴原告

辯護人

刑訴一ノ二　靜岡製

（國定規格B5）

177-8-8〔尋問調書綴、裏表紙、表〕

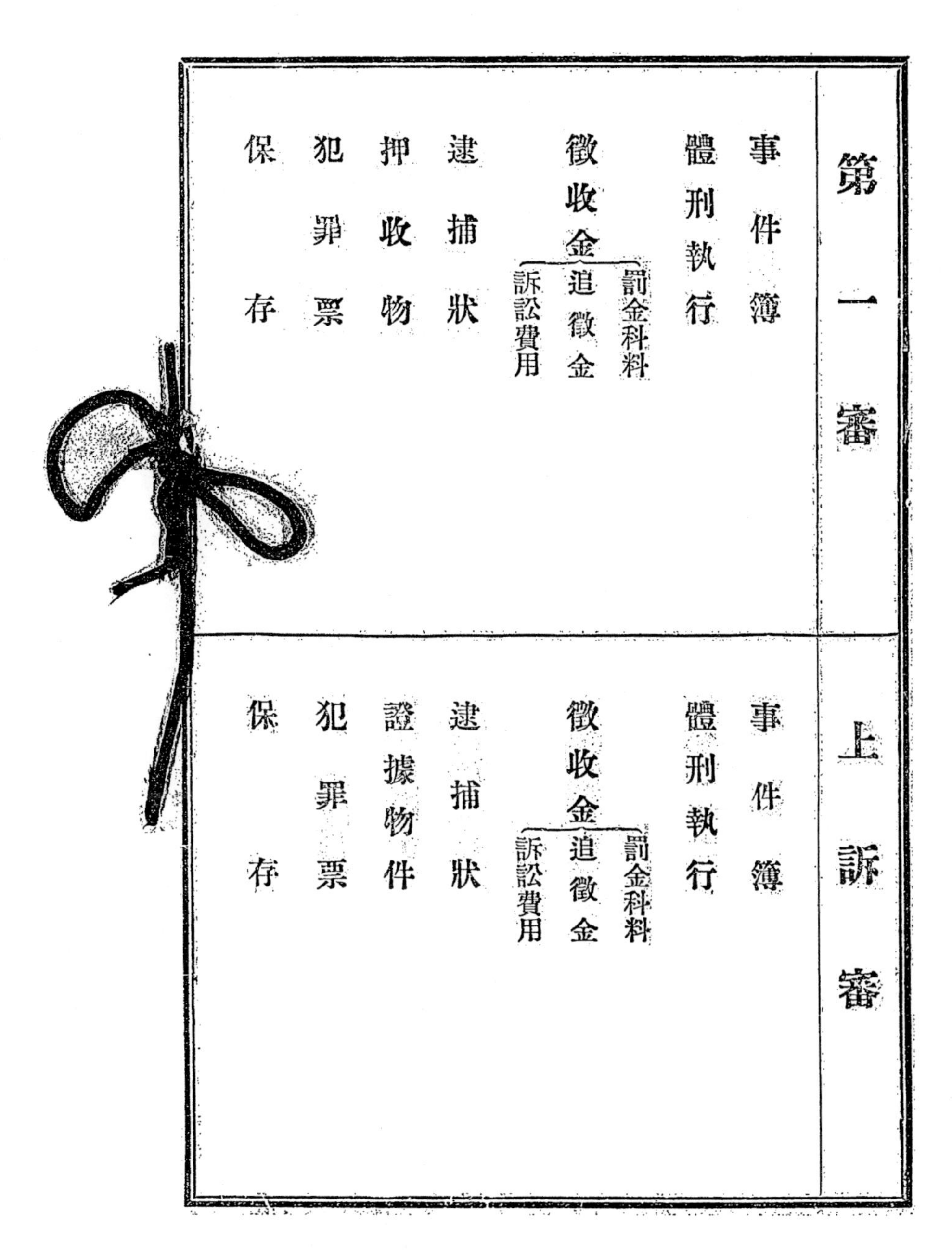
第一審

事件簿
體刑執行
徴收金（罰金科料・追徴金・訴訟費用）
逮捕狀
押收物
犯罪票
保存

上訴審

事件簿
體刑執行
徴收金（罰金科料・追徴金・訴訟費用）
逮捕狀
證據物件
犯罪票
保存

177-8-8〔尋問調書綴、裏表紙、裏〕

編集・解説

加藤哲郎（かとう・てつろう）

一九四七年生まれ。一橋大学名誉教授、博士（法学）

主な編著書等　『七三一部隊と戦後日本　隠蔽と覚醒の情報戦』（花伝社、二〇一八年）、『「飽食した悪魔」の戦後　七三一部隊と二木秀雄『政界ジープ』』（花伝社、二〇一七年）、『ＣＩＡ日本人ファイル　米国国立公文書館機密解除資料』全一二巻（編集・解説、現代史料出版、二〇一四年）、『ゾルゲ事件　覆された神話』（平凡社新書、二〇一四年）、『日本の社会主義　原爆反対・原発推進の論理』（岩波書店、二〇一三年）、『ワイマール期ベルリンの日本人　洋行知識人の反帝ネットワーク』（同、二〇〇八年）ほか多数。ＨＰ「加藤哲郎のネチズン・カレッジ」主宰、http://netizen.html.xdomain.jp/home.html

ゾルゲ事件史料集成
太田耐造関係文書
「ゾルゲ事件」史料2
第2回配本 第5巻
編集・解説 加藤 哲郎
2019年11月25日 初版第一刷発行
発行者 小林淳子
発行所 不二出版 株式会社
〒112-0005
東京都文京区水道2-10-10
電話 03(5981)6704
http://www.fujishuppan.co.jp
組版/昴印刷 印刷/富士リプロ 製本/青木製本
乱丁・落丁はお取り替えいたします。

第2回配本・全3巻セット 揃定価(揃本体75,000円+税)
ISBN978-4-8350-8301-8
第5巻 ISBN978-4-8350-8304-9
2019 Printed in Japan